Publications International, Ltd.

Louis Weber, CEO
Publications International, Ltd.
7373 North Cicero Avenue
Lincolnwood, IL 60712

Desarrollo de las recetas por Bev Bennett, Kathy Kari y Jamie Schleser.

Fotografía de las páginas 11, 13, 17, 21, 29, 31, 41, 43, 53, 57, 59, 61, 67, 71, 75, 77, 81, 85, 105, 111, 117, 123, 125 y 139 por Maes Studio.

Fotógrafo: Michael Maes
Asistente del Fotógrafo: Benjamin Stern
Estilista de Apoyo: Kathy Lapin
Estilista de los Alimentos: Corrine Kozlak
Asistente del Estilista de los Alimentos: Sarah Radeke

En la portada se ilustra: Tortitas de Cangrejo y Salmón *(página 98)*.
En la contraportada se ilustra: Tortitas de Garbanzo *(página 130)*.

ISBN-13: 978-1-4127-2942-0
ISBN-10: 1-4127-2942-4

Hecho en China.

8 7 6 5 4 3 2 1

Cocción en Horno de Microondas: La potencia de los hornos de microondas es variable. Utilice los tiempos de cocción como guía y revise qué tan cocido está el alimento antes de hornear por más tiempo.

Tiempos de Preparación/Cocción: Los tiempos de preparación están basados en la cantidad aproximada de tiempo que se requiere para elaborar la receta antes de cocer, hornear, enfriar o servir. Dichos tiempos incluyen los pasos de la preparación, como medir, picar y mezclar. Se tomó en cuenta el hecho de que algunas preparaciones y cocciones pueden realizarse simultáneamente. No se incluyen la preparación de los ingredientes opcionales ni las sugerencias para servir.

Contenido

¿Qué son las Tapas?

En España, la pasión por la comida es parte de la vida diaria. Con una rica historia manejada por la influencia de los invasores coloniales, ansiosos por explorar el Nuevo Mundo durante el siglo XVI, con una porción territorial que es frontera con Francia y con su intercambio de bienes con sus vecinos del Mediterráneo, España ha desarrollado una cocina única y diversa. Más regional que nacional, la comida española es tan variada como su geografía: verdes tierras y costas en el norte y en el Atlántico, cordilleras en las regiones central y sur y, al este, soleadas costas mediterráneas. La cocina española no tiene su base en el chile que encontraron en México y América Latina: tiene fuertes influencias árabe y africana, lo cual puede verse en el uso de higos, dátiles, uvas pasa, nueces, comino y miel de abeja. Es evidente que tiene una conexión con las otras cocinas mediterráneas, ya que incorpora ingredientes que dominan la región, como las aceitunas, las alcaparras, los cítricos y las alcachofas. Aunque la comida puede cambiar tanto como los sitios ubicados en un mapa, la tradición de las tapas trasciende las fronteras.

Las tapas son una variedad de bocadillos servidos en los bares de toda España. Pueden ser desde Aceitunas Marinadas con Cítricos o Almendras con Pimentón, hasta elegantes platillos como el Camarón Envuelto con Serrano y Salsa de Limón o los Higos con Prosciutto y Salsa de Naranja-Miel. Pueden ser ligeras y refrescantes, o sabrosas e indulgentes. Cuando llegan las tapas, hay pocas reglas. De hecho, el espíritu de las tapas se encierra en dos conceptos: flexibilidad y convivencia.

En España, las tapas son un entremés, cuando se come o se cena tarde. Estos deliciosos bocadillos se sirven como combustible para el cuerpo o para la conversación; incluso, detenerse en un bar por un bocadillo a menudo se torna en una maratón social. En América, las tapas pueden ayudar a revitalizar la fiesta tradicional y ser una nueva excusa para la reunión. Servir una selección de platillos pequeños es una perfecta manera de experimentar nuevos sabores, para probar una variedad de comidas, en lugar de llenarse en un tiempo, y satisfacer el gusto de sus invitados.

Si no le es familiar la cocina española, explore el siguiente glosario de términos e ingredientes; le ayudará a aprender qué debe buscar cuando vaya a la tienda y qué esperar cuando esté en la cocina.

Alioli/Allioli: Originario de Cataluña, el verdadero alioli español consiste en un poco de ajo, sal y aceite, cuidadosamente machacados y emulsionados en una rica salsa brillante, usando un mortero. Los cocineros españoles están en desacuerdo sobre el uso de las yemas de huevo, y su opinión varía de una región a otra; sin embargo, dada la proximidad de Cataluña con Francia, no es de sorprender que el alioli español tenga mucho en común con la famosa mayonesa provenzal: ambos dependen del ajo y el aceite. Una versión convincente puede batirse en minutos usando mayonesa preparada, y con un sinfín de usos: en sándwiches o como dip para papas fritas, como salsa para verduras o para acompañar carnes fileteadas.

Ate de Membrillo: Esta deliciosa pasta puede encontrarse en supermercados especializados o en tiendas gourmet. Con un sabor parecido al de las peras y las manzanas, el ate es una tarta de frutas que sólo empieza a brillar hasta que se cuece. Al agregarle azúcar, se equilibran las tonificantes cualidades de la fruta cruda, mientras que su alto contenido de pectina ayuda a crear una deliciosa jalea semitranslúcida de color dorado. El aromático y dulce ate de membrillo es la pareja perfecta para el queso manchego.

Cebiche/Seviche: Tradicionalmente se compone de pescados y mariscos crudos, "cocidos" por el marinado en una ácida mezcla de jugos de cítricos y sazonadores. Es originario de América Latina; sin embargo, pueden encontrarse variantes en casi cualquier región de clima cálido con abundantes pescados y mariscos frescos.

Chorizo: Este término abarca una diversidad de salchichas, usualmente elaboradas con carne de cerdo, que comparten un ingrediente: el pimentón (páprika) ahumado, lo cual les da un inconfundible color rojo y un gusto ahumado. Existen diversas variedades en América Latina, así como en España, Portugal y el Caribe. Usted puede encontrar tres variedades principales. La más común es el chorizo fresco o chorizo mexicano. Esta salchicha sin curar se vende en paquetes de dos, envueltos en plástico, en los grandes supermercados. Dependiendo de su contenido de chile, existen versiones con picor suave o intenso. Cuando se les retira la envoltura y se les cocina, se desmoronan como la carne molida de res. La variedad menos común es una salchicha curada y rebanada, etiquetada con frecuencia como "chorizo Cantimpalo"; es semejante al salami o al pepperoni, y está disponible en tiendas de especialidades o en aquellas que venden selecciones de embutidos deli. Es común servirlo como tapas, rebanado o picado, junto con diversos quesos españoles. La tercera variedad, comúnmente llamada "chorizo de España", es el que se pide en las recetas del libro. Es una salchicha semicurada, con una textura similar a la de la salchicha kielbasa polaca ahumada. No es necesario quitarle la envoltura, y puede picarse y agregarse a diversos platillos. Cualquier salchicha ahumada y condimentada, como la andouille, puede usarse en lugar del chorizo, aunque el sabor no será tan auténtico. El chorizo con sabor a pollo, disponible en grandes supermercados gourmet, es un buen sustituto.

Croqueta: Este delicioso bocadillo consiste en una porción de carne picada y verduras, ligados con una espesa y cremosa salsa blanca, y luego empanizada y frita. El resultado es una crujiente corteza con un centro delicioso, combinación que deleitará a cualquier paladar.

Empanada: Masa de pan rellena de una amplia variedad de carnes y verduras. Las empanadas pueden ser medias lunas grandes, similares a los calzones italianos, o pequeñas, denominadas "empanadillas". A veces llamadas "pays de pan", pueden ser horneadas como se hace con los pays tradicionales. Las cortezas pueden elaborarse con masa fermentada o no, como la masa para pay, el hojaldre o la pasta filo. Los rellenos son casi ilimitados.

Jamón Serrano: El jamón serrano se produce en las regiones montañosas frías de España, en un proceso de curar-secar que tarda alrededor de dos años. La producción es supervisada y regulada por el gobierno español para asegurar el acabado más fino posible. Como en el prosciutto italiano, el color del jamón serrano va de rosado a rojo, con blancas tiras de grasa. Es mejor servirlo en rebanadas delgadas y va bien con muchos alimentos. Si no encuentra jamón serrano, puede sustituirlo por la misma cantidad de prosciutto.

Pimentón (Páprika) Ahumado: El singular sabor ahumado de esta especia proviene del lento secado de los pimientos sobre fuego hecho con madera. De brillante color rojo, el pimentón ahumado añade un delicioso acento a cualquier platillo. Está disponible junto con otras especias en los grandes supermercados y en las tiendas especializadas. Existe una variedad que va del sabor medio al picante, pero si encuentra ambos, elija el que satisfaga su gusto. Si no encuentra pimentón ahumado, use pimentón regular, aunque el sabor del platillo terminado será muy diferente.

Pimiento: Es un tipo específico de chile dulce, apreciado por su jugosa textura, rico sabor y seductor aroma. Los españoles tienen en alta estima a esta belleza con forma de corazón, y consideran que el pimiento morrón rojo es un pobre sustituto. Los pimientos pueden encontrarse envasados en los grandes supermercados durante todo el año. También están disponibles picados, como en las aceitunas rellenas, o también secos y molidos con pimentón.

Pisto: Originario de La Mancha, el pisto es un delicado condimento dulce hecho de diversas verduras que han sido asadas o salteadas. El pisto comienza como una simple mezcla de pimientos dulces, balanceada con la acidez de los tomates. Hoy, el pisto incluye el rico sabor de las cebollas cocidas lentamente, el brillante color de las calabazas y el toque justo de ajo. Las verduras pueden picarse para hacer una salsa con trozos, o puede prepararse como puré para servirla como dip.

Queso Manchego: Elaborado con leche de oveja, el queso manchego es añejado de 2 meses a 6 años. Es un queso semifirme, y su textura va de grasosa a ligeramente seca. Recubierto con una corteza no comestible, marcada con un patrón de líneas entrecruzadas, el queso manchego tiene un tenue sabor a nuez y un poco salado. El queso parmesano puede usarse como sustituto, pero debe emplearse menos queso parmesano que el indicado en la receta, ya que su sabor es más fuerte que el del manchego.

Salsa Romescu: Esta salsa española procede de Cataluña. Es una mezcla de pimientos secos, tomates, aceite de oliva, pan viejo, almendras y ajo; tiene un sabor a tierra que va muy bien con pescados, mariscos y comidas asadas. Puede servirse fría o caliente. En Estados Unidos, los pimientos secos algunas veces sustituyen o complementan a los pimientos rojos asados. Esto produce una salsa similar en textura y apariencia, pero con un sabor a tierra y pimiento menos concentrado.

Tortilla: En español, tortilla significa "torta plana". En realidad, las tortillas españolas son omeletes delgadas rellenas con diversos ingredientes y sabores. Similares a las frittatas italianas, las tortillas son comunes como desayuno y entremés en toda España. Partidas en cuadros o en rebanadas, se sirven a temperatura ambiente como tapas en los bares. También se las prepara con ingredientes sobrantes para una comida casera improvisada. La más conocida es la tortilla de papas (patatas): una simple omelet de huevo rellena de papas, frita en aceite de oliva.

Vinagre de Jerez: Este vinagre, de sabor fuerte y color ámbar, captura el rico aroma y el dulce y suave sabor del fino jerez español añejo. Sus características sólo se incrementan dependiendo del tiempo que permanezca añejándose en la solera, en la cual el nuevo vinagre se añade a las tandas existentes. Los vinagres de jerez pueden reposar de 6 meses a 80 años; su precio se incrementa con la edad. Al igual que el vinagre balsámico, su sabor agridulce lo hace más fácil de adicionar a los platillos. No obstante, el vinagre de jerez es más sutil y subestimado que el afrutado y oscuro vinagre balsámico. Si no es posible conseguir vinagre de jerez, puede sustituirse con un vinagre de vino tinto de alta calidad.

Aceitunas Marinadas con Cítricos (p. 20)

Huevos Picadulces (p. 26)

Tostadas de Garbanzo, Pimiento Asado y Aceitunas (p. 10)

Almendras con Pimentón (p. 16)

Bocaditos Rápidos

Tostadas de Garbanzo, Pimiento Asado y Aceitunas

2 dientes de ajo pelados
1 lata (unos 435 g) de garbanzos, enjuagados y escurridos
1 taza de tiras de pimiento asado, escurridas y picadas
¼ de taza de aceite de oliva
Sal y pimienta negra
½ taza de aceitunas negras sin hueso, escurridas
½ taza de aceitunas rellenas de pimiento, escurridas
24 rebanadas de pan francés tostadas (de 1.5 cm)

1. Coloque el ajo en el procesador de alimentos encendido. Agregue los garbanzos y el pimiento; procese hasta que se forme una pasta. Añada el aceite; procese hasta que se incorpore. Transfiera la mezcla de garbanzo a un tazón mediano; sazone con sal y pimienta. Tape y deje reposar por 30 minutos.

2. Ponga las aceitunas verdes y las negras en el procesador de alimentos limpio. Procese encendiendo y apagando hasta que queden un poco picadas.

3. Extienda 2 cucharadas de la mezcla de garbanzo en cada rebanada de pan. Ponga encima 1 cucharada de la mezcla de aceitunas. Sirva a temperatura ambiente.

Rinde 24 entremeses

Nota: El sobrante de la mezcla de garbanzo puede usarlo como dip con verduras frescas.

*Consejo

Las mezclas de garbanzo y de aceitunas pueden prepararse con 2 días de anticipación. Guarde cada una en un recipiente hermético en el refrigerador. Deje reposar a temperatura ambiente por 30 minutos antes de untar en los panes, para que sea más fácil y tenga mejor sabor.

Ate de Membrillo y Queso Manchego

Tiempo de Preparación: 15 minutos • **Tiempo de Cocción:** 1 minuto

225 g de queso manchego o parmesano
225 g de ate de membrillo o mermelada de higo
120 g de mitades de chabacano (albaricoque) seco, en trozos chicos
2 cucharadas de jugo de limón
1 cucharada de azúcar
1 cucharada de romero fresco picado

1. Quite la cubierta del queso; corte el queso en rebanadas de unos 5 cm, desde el centro. Corte cada rebanada en triángulos de 0.5 cm. Ponga los triángulos de queso en un platón. Corone cada rebanada de queso con un triángulo de ate. Adorne con los chabacanos.

2. Revuelva el jugo de limón y el azúcar en un recipiente para microondas. Hornee por 1 minuto a temperatura ALTA. Bañe el queso y el ate con la mezcla de jugo. Espolvoree con romero. *Rinde 8 porciones*

Nota: El ate de membrillo puede conseguirlo en mercados latinos y en algunas tiendas de productos especializados.

Dátiles con Tocino

1 recipiente (360 g) de dátiles frescos enteros
450 g de tocino (beicon) (unas 11 rebanadas delgadas)

1. Caliente el horno a 180 °C. Forre un molde para hornear poco profundo con papel pergamino. Para quitar las semillas de los dátiles, corte cada uno a lo largo. Inserte la punta de una brocheta de madera para sacar la semilla.

2. Corte el tocino por la mitad a lo largo. Envuelva cada dátil con una rebanada de tocino; asegúrelo con palillos.

3. Acomode los dátiles en el molde, separados 2.5 cm. Hornee de 18 a 20 minutos, hasta que el tocino se dore; voltéelos después de 10 minutos. Deseche los palillos antes de servir. *Rinde de 8 a 10 porciones*

Crostini de Dos Tomates y Aceitunas

8 tomates deshidratados (no empacados en aceite)
120 g de pan baguette, cortado en 20 rebanadas (de 0.5 cm de grosor)
150 g de tomates uva finamente picados
12 aceitunas negras, sin hueso y finamente picadas
2 cucharaditas de vinagre de sidra
1½ cucharaditas de albahaca seca
1 cucharadita de aceite de oliva extra virgen
⅛ de cucharadita de sal
1 diente de ajo partido por la mitad a lo ancho

1. Caliente el horno a 180 °C. Coloque los tomates deshidratados en un recipiente. Cubra con agua hirviente. Deje reposar por 10 minutos. Escúrralos y píquelos.

2. Ponga las rebanadas de pan en una charola para hornear. Hornee por 10 minutos o hasta que se doren las orillas. Retire del horno; deje enfriar.

3. Mientras tanto, combine los tomates deshidratados, los tomates uva, las aceitunas, el vinagre, la albahaca, el aceite y la sal en un recipiente; mezcle bien. Tape con plástico y refrigere.

4. Frote cada rebanada de pan con el ajo. Corone cada rebanada con 1 cucharada de la mezcla de tomate. *Rinde 10 porciones*

Almendras con Pimentón

1 taza de almendras enteras blanqueadas
¾ de cucharadita de aceite de oliva
¼ de cucharadita de sal de grano
¼ de cucharadita de pimentón o pimentón ahumado

1. Caliente el horno a 190 °C. Distribuya las almendras en una capa en una charola. Hornee de 8 a 10 minutos o hasta que se doren un poco. Páselas a un tazón. Deje enfriar de 5 a 10 minutos.

2. Revuelva las almendras con el aceite hasta cubrirlas bien. Espolvoree con sal y pimentón; revuelva otra vez. *Rinde unas 8 porciones*

Champiñones Marinados

3 cucharadas de aceite de oliva
225 g de champiñones cremini, cortados a la mitad (véase nota)
1 diente de ajo machacado
½ taza de consomé de pollo
1 cucharadita de jugo de limón
Sal y pimienta negra

1. Caliente 2 cucharadas de aceite en una sartén de 30 cm, a fuego medio-alto. Agregue los champiñones y el ajo; cueza de 5 a 6 minutos. Añada el consomé. Cueza por unos 5 minutos o hasta que casi se evapore el líquido. Retire del fuego; deje enfriar. Deseche el ajo.

2. Ponga la mezcla de champiñones en un recipiente. Vierta la cucharada restante de aceite y el jugo de limón. Sazone al gusto con sal y pimienta. Deje reposar por 10 minutos para que se mezclen los sabores.

Rinde de 4 a 6 porciones

Nota: Los champiñones cremini, también conocidos como champiñones baby, son más pequeños que los portobello. Si no los encuentra, sustitúyalos con champiñones botón blancos.

Almendras con Pimentón

Crostini de Tomate y Alcaparra

1 pan francés, cortado en 8 rebanadas
2 tomates finamente picados
1 cucharada más 1½ cucharaditas de alcaparras, escurridas
1½ cucharaditas de albahaca seca
1 cucharadita de aceite de oliva extra virgen
45 g de queso feta desmoronado con tomate deshidratado y albahaca (u otra variedad)

1. Caliente el horno a 180 °C.

2. Ponga las rebanadas de pan en una charola sin engrasar, en una capa. Hornee por 15 minutos o hasta que se doren. Deje enfriar por completo.

3. Mientras tanto, combine los tomates, las alcaparras, la albahaca y el aceite en un recipiente; revuelva bien. Coloque la mezcla sobre los panes; espolvoree con queso. Sirva de inmediato. *Rinde 2 porciones*

*Consejo

Para un mejor sabor, elija tomates maduros. Un tomate mediano o uno grande puede sustituir 2 chicos. La albahaca seca puede sustituirse con una cucharada de albahaca fresca.

Aceitunas Marinadas con Cítricos

1 taza (unos 225 g) de aceitunas verdes grandes, escurridas
1 taza de aceitunas negras, enjuagadas y escurridas
⅓ de taza de aceite de oliva extra virgen
¼ de taza de jugo de naranja
3 cucharadas de vinagre de jerez o de vino tinto
2 cucharadas de jugo de limón
1 cucharada de ralladura de cáscara de naranja
1 cucharada de ralladura de cáscara de limón
½ cucharadita de comino molido
¼ de cucharadita de hojuelas de pimienta roja

Combine todos los ingredientes en un recipiente de vidrio. Tape y deje reposar durante toda la noche a temperatura ambiente; refrigere hasta por dos semanas. *Rinde 2 tazas*

Brochetas de Chorizo y Champiñones

1 cucharada de aceite de oliva
16 champiñones medianos, cortados a la mitad, *o* 32 champiñones chicos
250 g de salchicha de pollo sabor chorizo o chorizo español, cortado en 32 rebanadas
1 cucharada de perejil italiano fresco picado

1. Caliente el aceite en una sartén a fuego medio-alto. Agregue los champiñones; cueza por 2 minutos. Añada el chorizo; cueza de 1 a 2 minutos o hasta que los champiñones se doren y el chorizo esté caliente. Retire del fuego. Incorpore el perejil; revuelva bien. Deje reposar hasta que pueda manejarlo.

2. Divida el chorizo y los champiñones entre 16 brochetas de metal. Sírvalas calientes. *Rinde 8 porciones*

Peperonata

1 cucharada de aceite de oliva extra virgen
4 pimientos morrones rojos, amarillos o anaranjados, en tiras
2 dientes de ajo poco picados
12 aceitunas negras sin hueso o verdes rellenas de pimiento, picadas o cortadas a la mitad
2 a 3 cucharadas de vinagre de vino blanco o tinto
¼ de cucharadita de sal
¼ de cucharadita de pimienta negra
Rebanadas de pan francés tostadas

1. Caliente el aceite en una sartén de 30 cm a fuego medio-alto. Agregue el pimiento; cueza de 8 a 9 minutos o hasta que se doren las orillas; revuelva con frecuencia.

2. Reduzca el fuego a medio. Añada el ajo; cueza de 1 a 2 minutos. No deje que el ajo se dore. Incorpore las aceitunas, el vinagre, la sal y la pimienta. Cueza de 1 a 2 minutos o hasta que se evapore el líquido.

3. Pase a un tazón; tape y refrigere por 2 horas. Para servir, ponga sobre las rebanadas de pan. *Rinde unas 12 porciones*

Peperonata

Tostadas de Champiñones con Tocino Ahumado

10 rebanadas de tocino (beicon)
1 pimiento morrón rojo picado
1 cebolla picada
450 g de champiñones picados
Sal y pimienta negra
24 rebanadas de pan francés tostadas (de 1 cm)
Perejil fresco picado

1. Cueza el tocino en una sartén a fuego medio hasta que se dore. Escurra sobre toallas de papel.

2. Escurra la grasa de la sartén; deje 2 cucharadas. Agregue el pimiento y la cebolla; cueza y revuelva por 2 minutos a fuego medio-alto, o hasta que las cebollas estén suaves. Incorpore los champiñones; sazone con sal y pimienta. Cueza de 8 a 10 minutos o hasta que el líquido casi se evapore. Deje enfriar por 5 minutos.

3. Desmorone el tocino. Ponga la mezcla sobre las rebanadas de pan. Espolvoree con tocino y perejil; sirva de inmediato o a temperatura ambiente.

Rinde 24 entremeses

*Consejo

Cocinar los champiñones a fuego medio-alto les da un dorado que intensifica su sabor. Si se cocinan a temperatura baja, se cocerán al vapor en lugar de dorarse.

Pasta para Untar de Atún y Aceitunas

Tiempo de Preparación: 5 minutos

1 lata (90 g) de atún en agua
1 huevo cocido *o* 2 claras de huevo cocidas
½ taza de queso crema suavizado
¼ de taza de dip de cebolla
1 lata (135 g) de aceitunas picadas
Sal y pimienta negra al gusto
Cebollín picado y pimentón, para adornar
Galletas surtidas, panecillos o verduras crudas

En el tazón del procesador de alimentos, coloque el atún, el huevo, el queso y el dip; procese hasta que se incorporen. Pase a un tazón; añada las aceitunas, la sal y la pimienta. Enfríe durante varias horas o por toda la noche antes de servir. Sirva la pasta o moldéela, si gusta. Adorne con el cebollín y el pimentón. Sirva con galletas. *Rinde unas 12 porciones*

Huevos Picadulces

6 huevos cocidos, pelados y cortados por la mitad a lo largo
4 a 5 cucharadas de mayonesa
¼ de cucharadita de curry en polvo
¼ de cucharadita de pimienta negra
⅛ de cucharadita de sal
Pizca de pimentón
¼ de taza de cerezas o arándanos rojos secos, finamente picados
1 cucharadita de cebollín fresco picado
Cebollín fresco adicional (opcional)

1. Coloque las yemas de los huevos en un tazón; reserve las claras. Machaque las yemas con la mayonesa hasta formar una crema. Agregue el curry, la pimienta, la sal y el pimentón; revuelva bien. Incorpore las cerezas y el cebollín picado.

2. Rellene las claras con la mezcla de yemas. Adorne con cebollín adicional.

Rinde 12 porciones

Tostadas de Atún a las Hierbas

3 cucharadas de vinagre de sidra o de vino tinto
1 cucharadita de mostaza de grano molido
¼ de taza de aceite de oliva
2 latas (de 180 g cada una) de atún blanco en agua, escurrido
2 huevos cocidos, pelados y picados
3 cebollines finamente picados
3 cucharadas de alcaparras, enjuagadas y escurridas
1 cucharada más 1½ cucharaditas de orégano fresco picado
1 cucharada de tomillo fresco picado
2 dientes de ajo picados
Sal y pimienta negra
24 rebanadas de pan francés tostadas (de 1 cm)
Pimentón ahumado o pimentón

1. Para la vinagreta, bata la mostaza con el vinagre. Poco a poco, añada el aceite, y bata con frecuencia.

2. Combine el atún, los huevos, el cebollín, las alcaparras, el orégano, el tomillo y el ajo en un recipiente; sazone con sal y pimienta. Vierta la vinagreta sobre la mezcla de atún; revuelva bien. Tape y refrigere durante 2 horas o por toda la noche para que se mezclen los sabores.

3. Coloque la mezcla de atún en los panes. Espolvoree con el pimentón.

Rinde 24 entremeses

Nota: La mezcla de atún puede prepararse hasta con 1 día de antelación. Para un mejor sabor, retire la mezcla de atún del refrigerador 30 minutos antes de armar las tostadas.

Higos con Prosciutto y Salsa de Naranja-Miel

16 higos secos
8 rebanadas de prosciutto o jamón serrano
6 cucharadas de jugo de naranja
1 cucharada de miel de abeja
2 cucharadas de jugo de limón
1/16 de cucharadita de hojuelas de pimienta roja
1/16 de cucharadita de sal (opcional)

1. Coloque los higos en una olla chica; cúbralos con agua. Ponga a hervir a fuego medio-alto. Reduzca el fuego. Hierva, tapado, por 8 minutos o hasta que los higos se suavicen. Escurra y deje enfriar.

2. Mientras tanto, corte el prosciutto por la mitad a lo largo. Envuelva cada higo con una tira de prosciutto; asegure con palillos. Acomode en un platón.

3. Combine el jugo de naranja, la miel, el jugo de limón, la pimienta y la sal, si gusta, en una olla. Deje hervir a fuego medio-alto. Cueza por 2 minutos o hasta que la mezcla tenga la consistencia de jarabe y se reduzca a la mitad. Bañe con salsa los higos o sírvala para remojar.

Rinde 8 porciones

Dip de Aceituna

1½ tazas (285 g) de aceitunas negras sin hueso, escurridas
3 cucharadas de aceite de oliva
3 cucharadas de mostaza oscura
1 cucharada de romero fresco picado *o* 1 cucharadita de romero seco
1 cucharadita de ajo picado

1. Coloque todos los ingredientes en el procesador de alimentos. Procese hasta que se incorporen.

2. Sirva con verduras crujientes o con totopos de pita.

Rinde 4 porciones (de ¼ de taza)

Tostadas de Jamón Español y Queso

315 g de queso de cabra, a temperatura ambiente
1 cucharadita de comino molido
½ cucharadita de pimentón ahumado o pimentón
24 rebanadas de pan francés tostadas (de 1.5 cm)
½ taza de perejil fresco picado
8 rebanadas de jamón serrano o prosciutto, cortadas a lo ancho en tercios

1. Coloque el queso en un recipiente. Agregue el comino y el pimentón; revuelva hasta que se incorpore y se uniforme el color. Tape y deje reposar por 30 minutos.

2. Unte la mezcla de queso en los panes; espolvoree con perejil. Corone cada rebanada con un trozo de jamón. Sirva a temperatura ambiente.

Rinde 24 entremeses

Consejo: La mezcla de queso puede prepararse con 2 días de antelación. Esto permitirá que se mezclen los sabores. Para un mejor sabor, retire la mezcla de queso del refrigerador 30 minutos antes de armar las tostadas.

Tomates Rellenos de Feta

Tiempo de Preparación: 5 minutos

2 tomates, cortados por la mitad a lo largo
⅓ de taza de pepinos picados sin semillas
1 cucharada de queso feta desmoronado
1 cucharada de menta fresca picada
1 cucharada de crema agria
½ cucharadita de ralladura de cáscara de limón
¼ de cucharadita de pimienta negra

1. Quite la pulpa de los tomates y deséchela; deje una corteza de 0.5 cm. Coloque las cortezas, con el lado cortado hacia abajo, sobre toallas de papel para que se escurran.

2. Combine el pepino, el queso, la menta, la crema, la cáscara de limón y la pimienta en un recipiente. Rellene las cortezas de tomate con la mezcla.

Rinde 4 porciones

Pasta para Untar de Cebolla y Alubias

435 g de alubias, enjuagadas y escurridas
2 dientes de ajo picados
¼ de taza de cebollín picado
¼ de taza de queso parmesano
¼ de taza de aceite de oliva, y un poco más para bañar
1 cucharada de romero fresco finamente picado
Rebanadas de pan francés

1. Combine todos los ingredientes, excepto el aceite adicional y el pan, en el procesador de alimentos. Procese por 30 segundos o hasta que se incorporen.

2. Ponga la mezcla en un tazón. Bañe con aceite de oliva adicional antes de servir. Sirva con el pan.

Rinde 1¼ tazas de pasta para untar

Brochetas de Cerdo al Romero-Limón (p. 42)

Costillitas en Salsa de Pimentón (p. 52)

Carne con Cebollas Caramelizadas (p. 56)

Albóndigas de Cerdo en Salsa de Almendras al Ajo (p. 60)

Carne Fácil

Brochetas de Cerdo y Ciruela

Tiempo de Preparación: 10 minutos • Tiempo de Asado: 12 a 14 minutos

340 g de chuletas de cerdo (de 2.5 cm de grosor), sin hueso ni grasa, en trozos de 2.5 cm
1½ cucharaditas de comino molido
½ cucharadita de canela molida
¼ de cucharadita de sal
¼ de cucharadita de ajo en polvo
¼ de cucharadita de pimienta roja molida
¼ de taza de cebollines rebanados
¼ de taza de mermelada de frambuesa
1 cucharada de jugo de naranja
3 ciruelas, sin hueso y en gajos

1. Coloque la carne en una bolsa de plástico. Combine el comino, la canela, la sal, el ajo y la pimienta en un recipiente; agregue a la carne. Agite la bolsa.

2. Prepare el asador para cocción directa. Revuelva el cebollín, la mermelada y el jugo en un recipiente.

3. Ensarte alternadamente la carne y los gajos de ciruela en 8 brochetas.* Ase las brochetas a fuego medio, de 12 a 14 minutos o hasta que la carne esté cocida; voltéelas una vez. Barnice con frecuencia con la mezcla de mermelada durante los últimos 5 minutos de asado.

Rinde 4 porciones

**Si utiliza brochetas de madera, remójelas en agua tibia por 20 minutos antes de usarlas para prevenir que se quemen.*

Tortilla de Chorizo y Cebolla Caramelizada

¼ de taza de aceite de oliva
3 cebollas medianas, en cuartos y rebanadas
225 g de chorizo español (unos 2), picado
6 huevos
Sal y pimienta negra
½ taza de perejil fresco picado

1. Caliente el horno a 180 °C. Rocíe un molde cuadrado para hornear de 20 cm con aceite en aerosol.

2. Caliente el aceite en una sartén a fuego medio. Agregue la cebolla; cueza, tapado, por 10 minutos o hasta que la cebolla esté translúcida. Reduzca el fuego a bajo; cueza, sin tapar, por 40 minutos o hasta que se dore y esté suave. Retire la cebolla de la sartén y deje que se enfríe.

3. Agregue el chorizo a la misma sartén. Cueza por 5 minutos a fuego medio o hasta que empiece a dorarse; revuelva de vez en cuando. Retire el chorizo de la sartén; deje enfriar.

4. Bata los huevos en un recipiente; sazone con sal y pimienta. Añada las cebollas, el chorizo y el perejil; revuelva hasta que se incorporen. Vierta la mezcla de huevo en el molde. Hornee de 12 a 15 minutos o hasta que el centro esté casi cocido. Prepare el horno para asar. Ase de 1 a 2 minutos o hasta que se empiece a dorar. Transfiera a una rejilla; deje enfriar por completo. Corte en cuadros o en triángulos; sirva con palillos, frío o a temperatura ambiente.

Rinde 36 cuadros

Consejo: La tortilla puede prepararse un día antes y refrigerarse hasta el momento de servir. Para servir a temperatura ambiente, retire del refrigerador 30 minutos antes.

Brochetas de Cerdo al Romero-Limón

Tiempo de Preparación: 20 minutos • **Tiempo de Cocción:** 8 minutos

4 papas (patatas) rojas chicas, en cuartos
1 lomo de cerdo (unos 450 g), en 16 cubos (de 2.5 cm)
1 cebolla morada chica, en cuartos y separada
Aceite en aerosol
½ cucharadita de romero seco
Pizca de pimentón
2 cucharadas de jugo de limón
1 cucharada de aceite de oliva
1 cucharadita de ralladura de cáscara de limón
½ diente de ajo picado
½ cucharadita de sal
⅛ de cucharadita de pimienta negra

1. Caliente el asador.

2. Cueza las papas al vapor por 6 minutos o hasta que estén suaves. Enjuáguelas con agua fría; séquelas con toallas de papel.

3. Ensarte las papas en 4 brochetas de metal (de 25 cm), alternándolas con la carne y la cebolla. Rocíe con aceite; espolvoree con romero y pimentón.

4. Ponga las brochetas en una charola; ase por 4 minutos. Voltéelas; ase por 4 minutos más o hasta que la carne esté poco rosada en el centro.

5. Mientras tanto, combine el resto de los ingredientes en un recipiente. Vierta la mezcla de limón sobre las brochetas. *Rinde 4 porciones*

Entremeses de Espárragos y Prosciutto

12 espárragos (unos 225 g)
60 g de queso crema, suavizado
¼ de taza de blue cheese o queso de cabra desmoronado
¼ de cucharadita de pimienta negra
90 a 120 g de rebanadas delgadas de prosciutto o jamón serrano

1. Corte y deseche los tallos bajos de los espárragos. En una sartén, cueza los espárragos en agua salada, de 4 a 5 minutos o hasta que estén crujientes. Escurra y, de inmediato, sumerja en agua fría para detener la cocción.

2. Mientras tanto, combine los quesos y la pimienta en un recipiente; mezcle bien. Corte las rebanadas de prosciutto por la mitad a lo ancho para obtener 12 trozos. Unte la mezcla de queso en un lado de los trozos de prosciutto.

3. Escurra los espárragos; seque con toallas de papel. Envuélvalos con un trozo de prosciutto. Sírvalos a temperatura ambiente o ligeramente fríos.

Rinde 4 porciones

*Consejo

El prosciutto y el jamón serrano pueden sustituirse con jamón deli, en rebanadas delgadas.

Champiñones Rellenos de Salchicha

120 g de salchicha italiana sin cocer, sin envoltura
2 cucharadas de pan molido
4 sombreros de champiñones portobello medianos
1 cucharada de aceite de oliva
¼ de taza de queso Asiago rallado

Caliente el horno a 160 °C. Desmorone la salchicha en una sartén. Cueza hasta que no esté rosada; escurra la grasa. Retire del fuego; añada el pan. Barnice ambos lados de los champiñones con un poco de aceite. Rellénelos con la mezcla de salchicha. Coloque los champiñones, con el relleno hacia arriba, en una charola. Espolvoree con queso. Hornee hasta que el queso se derrita y los champiñones estén suaves.

Rinde 4 porciones

Brochetas de Chorizo y Alcachofas

1 lata (400 g) de corazones de alcachofa grandes, bien escurridos
90 g de chorizo español o de chorizo de pollo
3 cucharadas de aceite de oliva
2 cucharaditas de vinagre de vino blanco
1 cucharada de mostaza Dijon
Sal y pimienta negra

1. Caliente el asador. Forre una charola para hornear con papel de aluminio grueso. Corte las alcachofas por la mitad. Corte cada chorizo diagonalmente en 6 rebanadas. Acomode 2 trozos de alcachofa y 2 de chorizo en 6 brochetas de madera. (Remoje las brochetas en agua tibia por 20 minutos antes de asar para prevenir que se quemen.) Acomode las brochetas en la charola. Ase a 10 cm de la fuente de calor hasta que las alcachofas estén calientes y el chorizo dorado.

2. Para la vinagreta, combine el aceite, el vinagre, la mostaza, la sal y la pimienta en un recipiente. Sirva con las brochetas. *Rinde 6 porciones*

Bocadillos de Queso con Ajo a las Hierbas

1 cucharada de aceite de oliva
1 taza de champiñones baby picados, o de otros
⅔ de taza de pimiento rojo asado picado
½ taza de cebolla picada
½ taza de tocino (beicon) blanqueado y picado
1 cucharadita de ajo picado
120 g de queso para untar con ajo a las hierbas
2 cucharadas de perejil fresco picado *o* 1 cucharada de perejil seco
60 g de cortezas miniatura de pasta filo

En un recipiente antiadherente, a fuego medio, caliente el aceite y saltee los champiñones, el pimiento, la cebolla, el tocino y el ajo, de 3 a 5 minutos. Reduzca el fuego a bajo y agregue el queso. Revuelva y cueza por 1 minuto. Retire del fuego; añada el perejil. Ponga 1 cucharadita de la mezcla en las cortezas de pasta; sírvalas calientes.

Rinde 30 entremeses

Consejo: Para un toque creativo, adorne con cualquier variedad de verduras frescas de la estación, como hinojo picado o calabaza amarilla.

Brochetas Andaluzas de Cordero

2 cucharadas de jugo de naranja concentrado
1 cucharada de aceite de oliva
1 diente de ajo, en rebanadas delgadas
½ cucharadita de orégano seco
½ cucharadita de comino molido
½ cucharadita de pimentón
¼ de cucharadita de sal
¼ de cucharadita de pimienta negra
⅛ de cucharadita de pimienta roja molida
360 g de carne magra de cordero, en cubos de 2.5 cm
4 espárragos, en trozos diagonales de 5 cm
1 naranja navel, en gajos

1. Para la marinada, combine el jugo, el aceite, el ajo, el orégano, el comino, el pimentón, la sal y las pimientas en una bolsa grande de plástico. Agregue la carne y selle la bolsa. Voltee la bolsa para cubrir la carne. Refrigere durante 1 hora por lo menos, o hasta por 8 horas; voltee de vez en cuando.

2. Prepare el asador para cocción directa. De manera alternada, ensarte la carne, los espárragos y los gajos de naranja en las brochetas. Barnice con la marinada.

3. Ase las brochetas por 5 minutos, tapadas, a fuego medio-alto. Voltéelas; barnice con la marinada. Deseche la marinada restante. Áselas de 5 a 7 minutos más para término medio o hasta el término que guste.

Rinde de 5 a 6 porciones

Empanada de Carne

1 cucharada de aceite de oliva
3 cucharadas de cebolla finamente picada
1 diente de ajo picado
115 g de carne magra molida de res
2 cucharadas de aceitunas rellenas de pimiento
2 cucharadas de uvas pasa
2 cucharadas de salsa catsup
1 cucharada de perejil fresco picado
½ cucharadita de comino molido
1 hoja de pasta de hojaldre, descongelada
1 yema de huevo

1. Caliente el horno a 200 °C. Forre una charola para hornear con papel pergamino.

2. Caliente el aceite en una sartén de 25 cm a fuego medio-alto. Agregue la cebolla y el ajo. Cueza y revuelva de 2 a 3 minutos. Desmorone la carne en la sartén. Dore la carne; revuelva para desmoronarla bien. Añada las aceitunas, las uvas pasa, la salsa catsup, el perejil y el comino; cueza y revuelva de 1 a 2 minutos.

3. Ponga la pasta en la charola. Con una cuchara, coloque encima la mezcla de carne a lo largo del tercio inferior de la pasta. Enrolle la pasta como niño envuelto; doble y selle las orillas. Bata la yema de huevo en un recipiente; barnice la superficie de la pasta. Hornee de 18 a 20 minutos o hasta que se dore. Corte en 8 rebanadas. Sirva de inmediato.

Rinde 4 porciones

Costillitas en Salsa de Pimentón

1 costillar de cerdo de costillas baby (de 675 g), abierto
400 ml de consomé de pollo
1 taza de vino blanco seco o cerveza
1 cucharada de aceite de oliva
2 cucharaditas de orégano seco
2 cucharaditas de pimentón ahumado o pimentón
4 dientes de ajo picados
½ cucharadita de sal
¼ de cucharadita de pimienta negra

1. Corte las costillas en piezas individuales. Coloque las costillas, el consomé, el vino, el aceite, el orégano, el pimentón, el ajo, la sal y la pimienta en una olla. Deje hervir a fuego medio-alto. Reduzca el fuego. Hierva, tapado, por 1 hora o hasta que la carne esté suave y empiece a separarse del hueso.

2. Ponga las costillas en un platón; manténgalas calientes. Quite la grasa del caldo y deséchela. Deje hervir a fuego medio. Reduzca el fuego. Hierva hasta que la salsa se reduzca a unas 3 cucharadas. Vierta la salsa sobre las costillas. Sirva de inmediato.

Rinde de 6 a 8 porciones

Entremés de Berenjena

1 berenjena mediana (unos 450 g)
115 g de carne magra de res
¼ de taza de cebolla finamente picada
1 diente de ajo picado
1 tomate grande picado
1 pimiento morrón verde finamente picado
¼ de taza de aceitunas rellenas de pimiento picadas
2 cucharadas de aceite de oliva
1 cucharada de orégano fresco picado *o* 1 cucharadita de orégano seco
1 cucharadita de vinagre de vino blanco
Sal y pimienta negra

1. Caliente el horno a 180 °C. Pique varias veces la berenjena con un tenedor; colóquela en un recipiente poco profundo. Hornee por 1 hora o hasta que la piel se arrugue y la berenjena esté suave. Deje enfriar hasta que pueda manejarla.

2. Mientras tanto, dore la carne en una sartén a fuego medio; revuelva para desmoronarla; escúrrala. Agregue la cebolla y el ajo; cueza hasta que se suavicen.

3. Pele la berenjena y córtela en cubos. Combine la berenjena, la carne, el tomate, el pimiento y las aceitunas en un recipiente. Revuelva el aceite, el orégano y el vinagre en otro recipiente. Añada la mezcla de berenjena; revuelva un poco. Sazone con sal y pimienta.

4. Sirva con tostadas de pita.

Rinde unas 8 porciones

Minialbóndigas con Salsa de Pimiento Rojo

1 frasco de pimientos rojos asados, escurridos y poco picados
2 dientes de ajo
¼ de taza de mayonesa
⅛ de cucharadita de hojuelas de pimienta roja (opcional)
115 g de carne magra de res
115 g de carne molida de cerdo
1 taza de pan molido
1 chalote picado
¼ de cucharadita de sal
⅛ de cucharadita de pimienta negra
1 huevo batido
¼ de taza de aceite vegetal

1. Para la Salsa de Pimiento Rojo, coloque los pimientos y 1 diente de ajo en la licuadora. Licue hasta que se incorporen. Pase a un recipiente; añada la mayonesa y la pimienta roja, si gusta.

2. Pique el otro diente de ajo. Combine la carne de res, la de cerdo, ¼ de taza de pan, el chalote, el ajo picado, la sal y la pimienta negra en un recipiente. Agregue el huevo; revuelva bien.

3. Distribuya los ¾ de taza restantes de pan en un platón. Con la mezcla de carne, forme de 32 a 36 bolas (de 2.5 cm). Ruédelas en el pan.

4. Caliente el aceite en una sartén de 30 cm, a fuego medio-alto. Agregue las albóndigas en tandas; cueza por 8 minutos; voltéelas con frecuencia hasta que se doren por todos lados y estén bien cocidas (70 °C). Escúrralas sobre toallas de papel. Sirva con la Salsa de Pimiento Rojo.

Rinde 8 o 9 porciones

Consejo: Algunos supermercados ya venden la carne molida de res y cerdo combinada. O puede usar sólo carne de cerdo.

Nota: La salsa puede prepararla y refrigerarla hasta 4 horas antes. Deje que esté a temperatura ambiente antes de servirla.

Carne con Cebollas Caramelizadas

2 cucharadas de mantequilla sin sal
1 cebolla mediana, en rebanadas delgadas
1 pimiento morrón verde mediano, en rebanadas delgadas
1 cucharadita de azúcar morena
2 cucharaditas de aceitunas negras sin hueso, rebanadas
180 g de bisteces de espaldilla de res
¼ de cucharadita de sal
Pimienta negra
2 cucharaditas de aceite de oliva

1. Derrita la mantequilla en una sartén a fuego medio-alto. Agregue la cebolla y el pimiento; cueza de 10 a 12 minutos o hasta que las cebollas se doren; revuelva con frecuencia. Agregue el azúcar; cueza hasta que se derrita. Añada las aceitunas. Reduzca el fuego a bajo; mantenga caliente.

2. Sazone la carne con sal y pimienta. Caliente el aceite en una sartén a fuego medio-alto. Ase la carne por unos 3 minutos para término medio (62 °C), o hasta el término deseado.

3. Transfiera la carne a una tabla para trinchar; corte a lo ancho en rebanadas de 0.5 cm. Acomode la mezcla de cebollas en un platón; corone con la carne. Sirva de inmediato. *Rinde 4 porciones*

Sugerencia para Servir: Puede servir la mezcla de carne sobre rebanadas de pan italiano.

Crostini de Salchicha y Queso

300 g de queso de cabra, regular o con albahaca y ajo
¼ de taza de aceite de oliva
4 dientes de ajo picados
½ cucharadita de tomillo seco
2 baguetes (de 8 cm), cortadas horizontalmente por la mitad
Aceite de oliva adicional
1 paquete de salchichas italianas cocidas, desmoronadas
3 tazas de tomates deshidratados envasados en aceite, escurridos y picados

1. Caliente el horno a 200 °C. Mezcle el queso, ¼ de taza de aceite de oliva, el ajo y el tomillo en un recipiente.

2. Acomode el pan en una charola para hornear; barnícelo con el aceite. Hornee hasta que se tueste un poco, por unos 10 minutos. Deje enfriar.

3. Unte el pan con la mezcla de queso; corone con la salchicha y los tomates.

4. Regrese al horno y hornee hasta que esté bien caliente, por unos 5 minutos. Corte el crostini en porciones individuales.

Rinde unas 2 docenas de entremeses

*Consejo

Guarde el aceite de los tomates y úselo para saltear y en aderezos para ensalada.

Albóndigas de Cerdo en Salsa de Almendras al Ajo

½ taza de almendras enteras blanqueadas
1 taza de consomé de pollo
⅓ de taza de pimientos rojos asados
4 cucharaditas de ajo picado
1½ cucharaditas de sal
½ cucharadita de hebras de azafrán (opcional)
1 taza de pan recién molido
¼ de taza de vino blanco seco o consomé de pollo
450 g de carne molida de cerdo
¼ de taza de cebolla finamente picada
1 huevo ligeramente batido
3 cucharadas de perejil fresco picado

1. Caliente el horno a 180 °C. Forre un molde poco profundo con papel de aluminio; rocíe ligeramente con aceite en aerosol.

2. Para la salsa, ponga las almendras en el procesador de alimentos; procese hasta que estén finamente molidas. Agregue el consomé, el pimiento, 2 cucharaditas de ajo, ½ cucharadita de sal y el azafrán, si gusta; procese hasta que se incorporen. Añada ¼ de taza de pan.

3. Coloque los ¾ de taza de pan restantes en un recipiente; vierta el vino y revuelva bien. Incorpore la carne, la cebolla, el huevo, el perejil, las 2 cucharaditas restantes de ajo y 1 cucharadita de sal; revuelva bien. Con la mezcla de carne, forme 24 albóndigas (de 2.5 cm). Acomódelas en el molde, separadas 5 cm. Hornee por 20 minutos o hasta que se doren un poco.

4. Pase las albóndigas a un refractario de 1½ litros de capacidad, poco profundo. Vierta encima la salsa. Hornee, sin tapar, de 25 a 30 minutos o hasta que la salsa burbujee. Sirva las albóndigas con palillos.

Rinde 6 porciones

Nota: Puede utilizar almendras peladas.

Alitas de Pollo con Mayonesa de Cebollín y Alcaparras (p. 74)

Brochetas de Chile Poblano (p. 72)

Bocadillos de Pollo con Salsa de Naranja-Nuez (p. 66)

Alitas de Pollo (p. 68)

Pollo Exprés

Empanadas de Pollo

120 g de queso crema
2 cucharadas de cilantro fresco picado
2 cucharadas de salsa
½ cucharadita de sal
½ cucharadita de comino molido
¼ de cucharadita de ajo en polvo
1 taza de pollo cocido finamente picado
435 g de corteza para pay (2 cortezas de 27 cm), a temperatura ambiente
1 huevo batido
Salsa adicional (opcional)

1. Caliente el queso crema en una olla a fuego bajo hasta que se derrita; revuelva de vez en cuando. Agregue el cilantro, la salsa, la sal, el comino y el ajo; revuelva hasta que se incorporen. Añada el pollo; retire del fuego.

2. Extienda la masa en una superficie ligeramente enharinada. Corte la masa con un cortador redondo para galletas de 9 cm. Extienda los restos de masa y corte hasta hacer 20 círculos.

3. Caliente el horno a 220 °C. Forre 2 charolas para hornear con papel pergamino o de aluminio. Ponga 2 cucharaditas de la mezcla de pollo en el centro de cada círculo de masa. Barnice ligeramente las orillas con agua. Doble un lado sobre el relleno para formar medios círculos; selle las orillas.

4. Acomode las empanadas en las charolas; barnícelas apenas con huevo. Hornee de 16 a 18 minutos o hasta que se doren un poco. Sirva con salsa adicional, si gusta. *Rinde 10 porciones*

Nota: Las empanadas pueden prepararse con anticipación y congelarse. Sólo envuelva las empanadas sin hornear en papel de aluminio y congélelas. Para hornear, desenvuélvalas y siga las instrucciones a partir del Paso 4; hornee de 18 a 20 minutos.

Bocadillos de Pollo con Salsa de Naranja-Nuez

½ taza de mermelada de naranja
3 cucharadas de jugo de naranja
2 cucharadas de nueces picadas
2 ciruelas sin hueso, picadas
1 cucharada de uvas pasa
¼ de cucharadita de pimienta negra
2 pechugas de pollo, deshuesadas y sin piel, en trozos de 2.5 cm
Ralladura de la cáscara y el jugo de 1 naranja
3 cucharadas de aceite de oliva
2 cucharadas de jerez español
½ cucharadita de sal

1. Para la salsa, combine la mermelada, 3 cucharadas de jugo, las nueces, las ciruelas, las pasas y ⅛ de cucharadita de pimienta en un recipiente para microondas. Hornee por 1 minuto a temperatura ALTA; revuelva bien.

2. Combine el pollo, la ralladura y el jugo de la naranja, 1 cucharada de aceite, el jerez, la sal y ⅛ de cucharadita de pimienta en un recipiente; revuelva para cubrir.

3. Caliente las 2 cucharadas restantes de aceite en una sartén antiadherente a fuego medio. Con una espumadera, pase el pollo a la sartén, en dos tandas; cueza de 5 a 6 minutos o hasta que se dore por todos lados y esté cocido. Agregue el resto de la marinada. Deje hervir por 1 minuto. Pase el pollo y el jugo a un platón. Sirva el pollo bañado con la Salsa de Naranja-Nuez. *Rinde 6 porciones*

Nota: La salsa puede prepararla, taparla y refrigerarla hasta con 2 días de antelación. Deje que adquiera la temperatura ambiente antes de servir.

Alitas de Pollo

Tiempo de Preparación: 15 minutos • **Tiempo de Cocción:** 60 minutos

1.125 a 1.350 kg de alitas de pollo (de 12 a 14)
1 taza (225 g) de aderezo francés bajo en grasa
½ taza de jarabe oscuro de maíz o light
35 g de cebolla francesa en polvo o en dip
1 cucharada de salsa inglesa

1. Corte las puntas de las alitas y deséchelas. Corte las coyunturas y acomode las alitas en un molde de 33×23×5 cm, forrado de papel de aluminio.

2. En un recipiente, mezcle el aderezo, el jarabe, la cebolla y la salsa; vierta sobre las alitas.

3. Hornee a 180 °C por 1 hora o hasta que las alitas estén listas; revuelva una vez.

Rinde 24 porciones

*Consejo

Las alitas de pollo están separadas en tres partes: la primera sección (cerca del pollo) es la más carnosa; la segunda tiene menos carne; la punta casi no tiene carne. Las puntas pueden cortarse y desecharse, o guardarse para hacer caldo.

Tortilla Española

1 cucharadita de aceite de oliva
1 taza de papas (patatas) peladas, en rebanadas delgadas
1 calabaza chica, en rebanadas delgadas
¼ de taza de cebolla
1 diente de ajo picado
1 taza de pollo cocido desmenuzado
8 huevos
½ cucharadita de sal
½ cucharadita de pimienta negra
¼ de cucharadita de hojuelas de pimienta roja
1 tomate, sin semillas y picado (opcional)
Salsa (opcional)

1. Caliente el aceite en una sartén antiadherente de 25 cm, a fuego medio-alto. Agregue las papas, la calabaza, la cebolla y el ajo; cueza y revuelva con frecuencia por 5 minutos, hasta que las papas estén suaves. Añada el pollo; cueza por 1 minuto.

2. Mientras tanto, bata el huevo, la sal y las pimientas en un recipiente. Con cuidado, vierta el huevo en la sartén. Reduzca el fuego a bajo. Tape y cueza de 12 a 15 minutos o hasta que el huevo esté cocido en el centro.

3. Despegue las orillas de la tortilla y ladéela para pasarla a un platón. Deje reposar por 5 minutos antes de cortar en rebanadas o en cubos de 2.5 cm. Sírvala caliente o a temperatura ambiente. Adorne con tomate picado y sirva con salsa, si lo desea. *Rinde de 10 a 12 porciones*

Brochetas de Chile Poblano

1 chile poblano grande*
120 g de pechuga de pollo o pavo ahumado, en 8 cubos
120 g de queso Jack con pimiento, en 8 cubos
¼ de taza de salsa (opcional)

**Los chiles poblanos pueden irritar la piel; use guantes de hule cuando trabaje con ellos y no se toque los ojos.*

1. Caliente el horno a 200 °C. Llene una olla a la mitad con agua; deje hervir a fuego medio-alto. Agregue el chile; cueza por 1 minuto. Escúrralo. Descorazone, quite las semillas y corte en 12 trozos.

2. Ensarte 1 trozo de chile, 1 de pollo y 1 de queso en 4 brochetas. (Remoje las brochetas de madera en agua tibia por 20 minutos antes de usarlas para prevenir que se quemen.) Repita los trozos para terminar con el chile.

3. Acomode las brochetas en la charola. Hornee por 3 minutos o hasta que el queso empiece a derretirse. Sirva con salsa, si gusta.

Rinde 4 porciones

Alitas de Pollo con Mayonesa de Cebollín y Alcaparras

⅓ de taza de mayonesa baja en grasa
1 cucharada de cebollín fresco picado
2 cucharadas de alcaparras, escurridas
Pimienta negra
¼ de taza de harina de trigo
½ cucharadita de pimentón
¼ de cucharadita de sal
2 huevos
½ taza de pan molido
12 piernas de pollo (unos 565 g)
2 cucharadas de mantequilla sin sal
2 cucharadas de aceite vegetal

1. Para la Mayonesa de Cebollín y Alcaparras, combine la mayonesa, el cebollín y las alcaparras en un recipiente. Sazone con pimienta.

2. Para el pollo, combine la harina, ¼ de cucharadita de pimentón, la sal y ⅛ de cucharadita de pimienta en una bolsa de plástico. Bata los huevos en un recipiente poco profundo. Mezcle el pan y el ¼ de cucharadita restante de pimentón en un platón.

3. Agregue el pollo a la mezcla de harina; agite para cubrirlo. Sumerja el pollo en el huevo, luego ruédelo en el pan.

4. Caliente la mantequilla y el aceite en una sartén grande a fuego medio-alto hasta que la mantequilla se derrita y la mezcla se uniforme. Añada el pollo en tandas; cueza por 4 minutos o hasta que se dore. Voltee y cueza de 2 a 3 minutos más. Reduzca el fuego a bajo. Cueza por 5 minutos o hasta que el pollo esté cocido; voltéelo de vez en cuando.

5. Sirva con la Mayonesa de Cebollín y Alcaparras.

Rinde de 4 a 6 porciones

Alitas de Pollo con Mayonesa de Cebollín y Alcaparras

Ruedas de Pollo y Nuez

2 pechugas de pollo, deshuesadas y sin piel, en mitades
12 a 14 hojas de espinaca
195 g de queso para untar con ajo y hierbas
150 g de pimientos rojos asados, en rebanadas
¾ de taza de nueces finamente picadas

1. Aplane las pechugas con un mazo para carne o ábralas con un cuchillo para dejarlas de un grosor de 0.5 cm. Cubra cada trozo de pollo con hojas de espinaca. Unte encima el queso. Corone con pimientos y nueces. Con cuidado, enrolle cada pechuga y asegúrela con palillos.

2. Hornee a 200 °C de 20 a 25 minutos o hasta que se cuezan. Deje enfriar. Antes de servir, retire los palillos y rebane en ruedas de 1.5 cm. Sírvalas frías.

Rinde unos 35 entremeses

Brochetas de Pollo y Aceitunas

3 cucharadas de aceite de oliva
1 cucharada de jugo de limón
¼ de cucharadita de sal
¼ de cucharadita de orégano seco
¼ de cucharadita de hojuelas de pimienta roja
¼ de cucharadita de pimentón
⅛ de cucharadita de pimienta negra
3 muslos de pollo, deshuesados y sin piel (unos 225 g), cortado cada uno en 4 trozos
12 aceitunas verdes grandes sin hueso

1. Combine el aceite, el jugo, la sal, el orégano, la pimienta roja, el pimentón y la pimienta negra en un recipiente. Agregue el pollo; revuelva para cubrirlo. Tape y refrigere de 2 a 3 horas; voltee el pollo una vez.

2. Caliente el horno a 220 °C. Retire el pollo de la marinada. Deseche la marinada. Ensarte alternadamente 2 trozos de pollo y 2 aceitunas en 6 brochetas de metal.

3. Coloque las brochetas en una rejilla sobre un molde poco profundo. Hornee de 15 a 18 minutos o hasta que el pollo esté cocido; voltee las brochetas después de 8 minutos.

Rinde 6 porciones

Alitas de Pollo a la Cerveza

675 g de alitas o piernas de pollo
1 cucharadita de sal
1 cucharadita de tomillo seco
⅛ de cucharadita de pimienta negra
1 botella (360 ml) de cerveza española

1. Corte las puntas de las alitas y deséchelas, o guárdelas para otro uso. Corte las alitas por la coyuntura en 2 piezas. Coloque el pollo en un recipiente poco profundo; sazone con sal, tomillo y pimienta. Vierta encima la cerveza; cubra bien el pollo. Tape y refrigere durante 2 horas o hasta por 6 horas.

2. Caliente el horno a 190 °C. Forre un molde con papel de aluminio; rocíelo con aceite en aerosol.

3. Escurra el pollo; guarde la marinada. Acomode el pollo en el molde en una capa. Hornee por 40 minutos o hasta que el pollo esté bien dorado por todos lados; voltee el pollo de vez en cuando y báñelo con la marinada. No bañe durante los últimos 5 minutos de horneado. Deseche la marinada. Sírvalo caliente o a temperatura ambiente.

Rinde 6 porciones

Almejas Rellenas al Vino
(p. 108)

Croquetas de Salmón
(p. 112)

Camarón Enchilado (p. 86)

Bocaditos de Pescado con Salsa Romescu (p. 106)

Pescados sin Complicaciones

Camarón Envuelto con Serrano y Salsa de Limón

Tiempo de Preparación: 20 minutos • **Tiempo de Cocción:** 15 minutos

¼ de taza de mermelada de naranja u otro cítrico
Ralladura de la cáscara y jugo de 1 limón
2 cucharadas de miel de abeja
24 camarones crudos grandes, pelados y desvenados (con colas)
2 cucharadas de jugo de limón
1 cucharadita de comino molido
½ cucharadita de pimentón ahumado o pimentón
8 rebanadas de jamón serrano o prosciutto
1 cucharada de aceite de oliva

1. Para la salsa, combine la mermelada, la ralladura y el jugo de limón, y la miel en un recipiente para microondas. Hornee por 1 minuto a temperatura ALTA; revuelva bien.

2. Coloque el camarón en un recipiente; agregue 2 cucharadas de jugo, el comino y el pimentón. Cubra bien.

3. Corte cada rebanada de jamón a lo largo en 3 tiras. Envuelva cada camarón con 1 pieza de jamón; ensártelos en brochetas de madera. (Remoje las brochetas en agua caliente por 20 minutos antes de usarlas para prevenir que se quemen.)

4. Caliente el aceite en una sartén antiadherente a fuego medio. Cueza el camarón, en tandas, por 2 minutos de cada lado o hasta que el jamón se dore y el camarón se torne rosado y opaco. Retire de las brochetas; sirva de inmediato con la Salsa de Limón.

Rinde de 6 a 8 porciones

Vieiras a la Mantequilla

¼ de taza de harina de trigo
½ cucharadita de tomillo seco
½ cucharadita de pimentón
¼ de cucharadita de pimienta roja molida
450 g de vieiras, enjuagadas y secas
2 cucharaditas de aceite de oliva extra virgen
¼ de taza de cebollín finamente picado
¼ de taza de vino blanco seco o consomé de pollo con poca sal
2 cucharadas de jugo de limón
2 cucharadas de mantequilla
½ cucharadita de sal
2 cucharadas de perejil fresco picado

1. Combine la harina, el tomillo, el pimentón y la pimienta en un recipiente poco profundo; revuelva bien. Agregue las vieiras; revuelva para cubrir. Quite el exceso de harina.

2. Caliente el aceite en una sartén antiadherente de 30 cm, a fuego medio-alto. Añada las vieiras; cueza por 2 minutos. Revuelva y cueza por 2 minutos o hasta que se opaquen. Páselas a un platón; espolvoree con el cebollín.

3. Vierta el vino y el jugo en la sartén. Deje hervir; hierva por 1 minuto o hasta que se reduzca un poco; raspe los pedacitos dorados que se hayan pegado a la sartén. Retire del fuego. Revuelva la mantequilla y la sal hasta que la mantequilla se derrita. Vierta sobre las vieiras; espolvoree con perejil.

Rinde 8 porciones

Camarón Enchilado

2 cucharaditas de chile en polvo
1½ cucharaditas de comino molido
1 cucharadita de ajo en polvo
1 cucharadita de pimentón picante
½ cucharadita de sal
12 camarones jumbo crudos, pelados y desvenados (con colas)
⅓ de taza de aceite de oliva
Gajos de limón

1. Para el condimento, combine el chile, el comino, el ajo, el pimentón y la sal en un recipiente poco profundo. Unte en los camarones.

2. Caliente el aceite en una sartén a fuego medio-alto. Agregue el camarón; cueza de 1 a 2 minutos de cada lado o hasta que se torne rosado y se opaque. Sirva con gajos de limón. *Rinde 4 porciones*

Mejillones al Vino Blanco

¼ de taza de aceite de oliva
1 cebolla picada
¼ de taza de apio picado
2 dientes de ajo picados
1 hoja de laurel
½ cucharadita de albahaca seca machacada
450 g de mejillones crudos, lavados
1 taza de vino blanco seco
Perejil fresco picado, para adornar

Caliente el aceite en una olla. Agregue la cebolla, el apio, el ajo, el laurel y la albahaca. Añada los mejillones y el vino; revuelva bien. Tape y cueza de 4 a 6 minutos o hasta que los mejillones se abran. Deseche los mejillones que no se abran. Adorne con perejil picado; sirva. *Rinde 2 porciones*

Camarón Enchilado

Almejas con Migas

4 rebanadas de tocino (beicon)
1.350 kg de almejas
⅓ de taza de cebollín finamente picado
⅓ de taza de perejil fresco finamente picado
½ cucharadita de ralladura de cáscara de limón
2 cucharadas de jugo de limón
⅛ de cucharadita de salsa picante
1 taza de migas de galletas saladas
¼ de taza de queso parmesano rallado

1. Cueza el tocino en una sartén a fuego medio hasta que se dore. Escúrralo en toallas de papel. Desmorónelo. Reserve 2 cucharadas de grasa.

2. Toque las almejas y deseche las que no se cierren. Lávelas bien. Llene una olla grande a la mitad con agua; deje hervir. Agregue las almejas; tape y cueza por 2 minutos o justo hasta que se abran. Pase a una charola para hornear. Quite las almejas de las conchas. Deseche las conchas.

3. Caliente el horno a 200 °C. Caliente la grasa que reservó en una olla a fuego medio. Ponga allí el perejil y el cebollín; cueza por 1 minuto hasta que los cebollines se suavicen. Retire del fuego; incorpore la cáscara y el jugo de limón, y la salsa. Agregue las migas, el queso y el tocino.

4. Vacíe la mezcla de migas sobre las almejas; presione con cuidado. Hornee por 5 minutos o hasta que las migas se doren.

Rinde 8 porciones

Vieiras con Salsa de Naranja y Estragón

225 g de vieiras medianas
¼ de cucharadita de sal
Pimienta blanca
1 cucharadita de aceite de oliva
1 chalote rebanado
2 cucharadas de vino blanco, jugo de almeja o consomé de pollo
½ taza de jugo de naranja
1 cucharadita de estragón fresco picado

1. Enjuague las vieiras y retire la membrana. Séquelas con toallas de papel. Sazone con sal y pimienta.

2. Caliente el aceite en una sartén a fuego medio. Agregue las vieiras; cueza de 3 a 4 minutos, hasta que estén algo firmes y doradas; voltéelas una vez. Retire de la sartén.

3. Añada el chalote a la sartén; cueza por 1 minuto. Vierta el vino. Deje hervir a fuego medio; raspe los residuos que se hayan pegado a la sartén. Incorpore el jugo. Deje hervir a fuego medio-alto. Hierva hasta que la salsa se reduzca a unas 2 cucharadas. Retire del fuego. Agregue el estragón. Vierta sobre las vieiras.

Rinde de 3 a 4 porciones

Champiñones Rellenos de Cangrejo y Alcachofas

225 g de carne de cangrejo azul
400 g de corazones de alcachofa, escurridos y finamente picados
1 taza de mayonesa*
½ taza de queso parmesano rallado
¼ de cucharadita de sazonador de lemon pepper
⅛ de cucharadita de sal
⅛ de cucharadita de pimienta de Cayena
30 champiñones frescos grandes

**O sustituya la mayonesa con ½ taza de yogur natural.*

1. Retire los trozos de caparazón de la carne del cangrejo. Combine el cangrejo, las alcachofas, la mayonesa, el queso y los sazonadores; revuelva bien. Retire los tallos de los champiñones y rellene los sombreros con la mezcla de cangrejo. Colóquelos en un refractario poco profundo, ligeramente engrasado.

2. Hornee a 200 °C por 10 minutos o hasta que estén calientes y burbujeen.

Rinde 15 porciones

Camarón en Salsa de Jerez

1 rebanada de tocino (beicon), cortada a lo ancho en tiras de 0.5 cm
2 cucharadas de aceite de oliva
60 g de champiñones cremini o botón, en cuartos
225 g de camarones grandes crudos (unos 16), pelados y desvenados (con colas)
2 dientes de ajo, en rebanadas delgadas
2 cucharadas de jerez seco
1 cucharada de jugo de limón fresco
¼ de cucharadita de hojuelas de pimienta roja

1. Cueza el tocino en una sartén a fuego medio hasta que se dore. Retire de la sartén con una espumadera; escúrralo en toallas de papel.

2. Vierta el aceite en la grasa del tocino. Añada los champiñones; cueza por 2 minutos. Incorpore el camarón y el ajo; cueza por 3 minutos o hasta que el camarón se torne rosado y se opaque. Agregue el jerez, el jugo y la pimienta. Pase el camarón a un tazón con una espumadera.

3. Cueza la salsa por 1 minuto o hasta que se reduzca y se espese. Vierta sobre el camarón. Espolvoree con el tocino. *Rinde 4 porciones*

*Consejo

Los champiñones cremini son similares en su forma a los champiñones botón, pero son de color castaño. Tienen una textura más firme y un sabor más fuerte que los botón. A veces se los llama "baby bellas", porque son una versión no madura de los champiñones portobello.

Cebiche de Vieiras Asadas

180 a 210 g de vieiras
4 cucharadas de jugo de limón
¼ de cucharadita de chile en polvo o pimentón
½ melón honeydew grande
1 papaya mediana o mango o ½ melón cantaloupe grande
¼ de taza de cebolla picada
1 a 2 chiles jalapeños o serranos,* sin semillas y picados
3 cucharadas de menta fresca picada o de albahaca fresca
1 cucharadita de miel de abeja (opcional)

**Los chiles jalapeños y serranos pueden irritar la piel; use guantes de hule cuando trabaje con ellos y no se toque los ojos.*

1. Enjuague las vieiras y séquelas. Colóquelas en una bolsa de plástico con 2 cucharadas de jugo de limón y el chile. Saque el aire de la bolsa y ciérrela. Marine en el refrigerador de 30 minutos a 1 hora.

2. Deseche las semillas del melón. Corte el melón en cubos o sáquelo con una cucharilla. Corte la papaya a la mitad; deseche las semillas. Pele las mitades de papaya; corte en cubos. Ponga la fruta en un tazón. Revuelva con 2 cucharadas de jugo de limón, la cebolla y el chile jalapeño. Tape y refrigere.

3. Rocíe la parrilla fría con aceite en aerosol. Ajuste la parrilla a 10 o 12 cm de la fuente de calor. Caliente el asador para cocción directa.

4. Escurra las vieiras; deseche la marinada. Ensarte las vieiras en brochetas de metal de 25 a 30 cm. Áselas por 3 minutos a fuego medio-alto. Voltéelas; ase por 3 minutos más o hasta que las vieiras se opaquen.

5. Retire las vieiras de las brochetas; corte en cuartos. Añada a la mezcla de fruta y revuelva. Refrigere durante 30 minutos o hasta por 2 horas. Agregue la menta y la miel, si gusta. *Rinde 6 porciones*

Tortilla de Camarón, Queso de Cabra y Poro

225 g de camarón mediano crudo, pelado y desvenado
4 cucharadas de aceite de oliva
2 dientes de ajo picados
2 poros (puerros) picados
7 huevos
Sal y pimienta negra
90 g de queso de cabra
Aceite de oliva en aerosol

1. Caliente el horno a 180 °C. Corte cada camarón en 4 trozos.

2. Caliente 2 cucharadas de aceite en una sartén mediana con mango a prueba de calor, a fuego medio-alto. Agregue el ajo; cueza por 30 segundos o hasta que suelte su fragancia. Añada el camarón; cueza de 3 a 4 minutos o hasta que se torne rosado y se opaque. Pase a un platón.

3. Caliente las 2 cucharadas de aceite restantes en la misma sartén a fuego medio. Agregue el poro; cueza de 4 a 5 minutos o hasta que se suavice. Pase al platón del camarón; deje enfriar por 5 minutos.

4. Bata los huevos en un recipiente; sazone con sal y pimienta. Desmorone el queso en el huevo. Revuelva con los camarones y el poro.

5. Rocíe una sartén antiadherente con aceite en aerosol; caliente a fuego medio-alto. Vierta la mezcla de huevo; cueza por 5 minutos o hasta que las orillas empiecen a cocerse. Pase la sartén al horno; hornee de 10 a 12 minutos o hasta que la superficie esté esponjada y el centro cocido. Deje enfriar por 10 minutos. Corte en rebanadas; sirva caliente o a temperatura ambiente.

Rinde de 6 a 8 porciones

Empanadas Condimentadas de Atún

90 g de atún light
½ taza de queso cheddar rallado
1 lata (120 g) de chiles verdes en escabeche, escurridos
1 lata (65 g) de aceitunas rebanadas, escurridas
1 huevo cocido picado
Sal y pimienta al gusto
¼ de cucharadita de salsa picante
¼ de taza de salsa picada picante
2 paquetes (de 435 g cada uno) de cortezas para pay
Salsa adicional

1. En un recipiente mediano, coloque el atún, el queso, los chiles, las aceitunas, el huevo, la sal, la pimienta y la salsa picante; revuelva con un tenedor. Agregue ¼ de taza de salsa picada y revuelva. De acuerdo con las instrucciones del empaque, extienda las cortezas (use un rodillo si las prefiere más delgadas); de cada corteza, corte 4 círculos de 10 cm cada uno.

2. Coloque los 8 círculos en charolas para hornear forradas con papel de aluminio; humedezca las orillas de los círculos con agua. Corone cada círculo con ¼ de taza de la mezcla de atún. Doble los círculos y séllelos; presione las orillas y selle con un tenedor. Haga incisiones en las empanadas para permitir la ventilación.

3. Hornee a 220 °C de 15 a 18 minutos o hasta que se doren. Deje enfriar un poco. Sirva con salsa adicional.

Rinde 8 porciones

Tortitas de Cangrejo y Salmón

225 g de carne de cangrejo fresca o refrigerada*
210 g de salmón, escurrido y desmenuzado
2 cucharadas de mayonesa
½ cucharadita de jugo de limón
1 diente de ajo picado
¼ de taza de pan molido
1 huevo batido
1 cucharada de perejil fresco finamente picado
½ cucharadita de mostaza
¼ de cucharadita de sal
¼ de cucharadita de pimienta negra
¼ de cucharadita de salsa picante
2 cucharadas de aceite de oliva

**Para esta receta, elija carne de cangrejo menos costosa; se desmenuza con facilidad y su sabor es como el de las almejas. Búsquela en la sección de mariscos refrigerados en el supermercado.*

1. Combine el cangrejo y el salmón en un recipiente. Mezcle la mayonesa, el limón y el ajo en otro recipiente. Añada la mezcla de mayonesa, el pan, el huevo, el perejil, la mostaza, la sal, la pimienta y la salsa a la mezcla de cangrejo. Revuelva muy bien.

2. Forme de 8 a 10 tortitas con la mezcla de cangrejo.

3. Caliente el aceite en una sartén a fuego medio. Cueza las tortitas de 6 a 7 minutos, o hasta que se doren y estén calientes; voltéelas una vez.

Rinde de 8 a 10 porciones

Consejo: Puede sustituir la mayonesa, el limón y el ajo con 2 cucharadas de mayonesa con ajo.

Champiñones Rellenos a la Mediterránea

½ taza de aceite de oliva
½ taza (1 barra) de mantequilla
1 cebolla finamente picada
2 cucharadas de ajo picado
1 cucharadita de romero fresco finamente picado o ½ cucharadita de romero seco
¼ de cucharadita de tomillo seco
1/16 de cucharadita de nuez moscada molida
Sal y pimienta negra
24 caracoles grandes, enjuagados y escurridos
½ taza de perejil fresco picado
24 champiñones frescos grandes
12 rebanadas delgadas de pan blanco

1. Caliente el aceite y la mantequilla en una sartén a fuego medio hasta que la mantequilla se derrita. Agregue la cebolla, el ajo, el romero, el tomillo y la nuez moscada; sazone con sal y pimienta. Reduzca el fuego a bajo; añada los caracoles y el perejil. Cueza por 3 minutos; revuelva de vez en cuando.

2. Caliente el horno a 180 °C. Retire y deseche el tallo de los champiñones.

3. Acomode los champiñones en un refractario de 5 cm de profundidad; coloque 1 caracol de la mezcla de ajo en cada champiñón. Vierta la mezcla de ajo sobre los caracoles. Cubra con papel de aluminio; hornee por 20 minutos.

4. Mientras tanto, retire la corteza del pan. Tueste el pan y córtelo diagonalmente en 4 triángulos. Sirva con los champiñones.

Rinde 4 porciones

Envueltos de Vieiras con Salsa de Pimiento

8 vieiras
¼ de taza de harina de trigo
½ cucharadita de chile en polvo
¼ de cucharadita de sal
Pimienta negra
225 g de jamón serrano o prosciutto, en rebanadas delgadas
2 cucharaditas de aceite de oliva
2 cucharadas de cebolla finamente picada
½ taza de pimientos asados, secos y picados
2 cucharadas de consomé de pollo
1 cucharada más 1½ cucharaditas de pasta de tomate
2 cucharaditas de vinagre balsámico

1. Caliente el horno a 200 °C. Forre una charola para hornear con papel pergamino. Enjuague las vieiras; séquelas con toallas de papel.

2. Combine la harina, el chile y la sal en un recipiente. Sazone con pimienta. Cubra las vieiras con la mezcla. Envuelva y cubra por completo cada vieira con 2 rebanadas de jamón. Acomode las vieiras en la charola. Hornee de 8 a 10 minutos, o hasta que las vieiras estén opacas y el jamón esté crujiente.

3. Mientras tanto, para la salsa, caliente el aceite en una olla a fuego medio. Agregue la cebolla; cuézala de 3 a 4 minutos o hasta que se suavice. Añada los pimientos, el consomé, la pasta de tomate y el vinagre; cueza de 2 a 3 minutos o hasta que se caliente. Pase la salsa a la licuadora; licue hasta que se uniforme. Regrese la salsa a la olla; manténgala caliente. Sirva las vieiras con la salsa.

Rinde 4 porciones

Camarones y Alcachofas en Vinagreta Cítrica

1 naranja grande, sin semillas, pelada y en gajos
3 cucharadas de vinagre de vino tinto
3 cucharadas de mayonesa
1 cucharadita de tomillo fresco picado *o* ¼ de cucharadita de tomillo seco
2 cucharaditas de aceite de oliva extra virgen
1 bolsa (90 g) de corazones de alcachofa descongelados
12 camarones extra grandes crudos (360 g)
1 taza de jugo de naranja

1. Para la vinagreta, combine la naranja, el vinagre, la mayonesa y el tomillo en la licuadora; licue hasta uniformar. Vierta la mezcla en un recipiente de vidrio; bata con el aceite hasta que se incorpore. Bañe las alcachofas en la vinagreta. Tape y refrigere durante varias horas o por toda la noche.

2. Pele el camarón; mantenga las colas. Desvene el camarón y ábralo como mariposa. Hierva el jugo en una olla. Agregue el camarón; cueza por 2 minutos o hasta que se opaque y se torne rosado.

3. Para servir, coloque 3 alcachofas en cada uno de 6 platos. Corone cada porción con 2 camarones. Bañe con la vinagreta. *Rinde 6 porciones*

Brochetas de Atún con Salsa de Pimiento

Tiempo de Preparación: 25 minutos • Tiempo de Marinado: 15 minutos
Tiempo de Cocción: 8 minutos

450 g de filetes de atún, en cuadros de 2.5 cm
6 cucharadas de jalea de chile rojo*
⅓ de taza de mostaza oscura
2 cucharadas de vinagre balsámico o de vino tinto
½ cucharadita de pimienta negra machacada
¼ de cucharadita de sal
1 pimiento morrón rojo picado
1 cebollín picado
1 naranja, sin pelar, en trozos de 2.5 cm
1 pimiento morrón verde, en trozos de 2.5 cm

**Si no encuentra jalea de chile rojo, combine 6 cucharadas de jalea de manzana derretida con 1 cucharada de salsa de pimienta de Cayena. Revuelva bien.*

1. Coloque el atún en una bolsa de plástico. Combine la jalea, la mostaza, el vinagre, la pimienta y la sal en una taza medidora de 1 taza. Vierta ½ taza de la marinada de jalea sobre el atún. Selle la bolsa; marine en el refrigerador por 15 minutos.

2. Mezcle la marinada restante, el pimiento rojo y el cebollín en un recipiente. Reserve para la salsa.

3. De manera alternada, ensarte el atún, la naranja y el pimiento morrón verde en 4 brochetas de metal (de 30 cm). Coloque las brochetas en la parrilla engrasada. Ase a fuego medio-alto de 8 a 10 minutos o hasta que el pescado se opaque, pero esté suave en el centro; voltéelo y báñelo con la mitad de la marinada.** Sirva con la salsa de pimiento rojo.

Rinde 4 porciones

***El atún se seca si lo cuece de más. Vigílelo mientras lo asa.*

Bocaditos de Pescado con Salsa Romescu

1 rebanada de pan italiano de corteza dura
1 tomate, en cuartos
2 dientes de ajo pelados
3 cucharadas de almendras enteras blanqueadas
2 cucharadas de pimiento picado, escurrido
1 cucharada de vinagre de vino tinto
¼ de cucharadita de pimentón
¼ de cucharadita más ⅛ de cucharadita de sal
1 clara de huevo
2 cucharadas de harina de trigo
½ cucharadita de pimienta roja molida
⅓ de taza de almendras molidas
225 g de filetes de tilapia

1. Caliente el horno a 180 °C. Engrase una charola para hornear.

2. Para la salsa, acomode el pan, el tomate, el ajo y las almendras en la charola. Hornee de 12 a 15 minutos o hasta que las almendras se doren un poco. Pase los ingredientes al procesador de alimentos; procese accionando el botón de encendido/apagado justo hasta que los ingredientes queden poco picados. Añada el pimiento, el vinagre, el pimentón y ⅛ de cucharadita de sal. Procese hasta uniformar. Coloque la salsa en un tazón.

3. Bata un poco la clara de huevo en un recipiente. Combine la harina, la pimienta roja y ¼ de cucharadita de sal en un recipiente poco profundo. Ponga las almendras en el segundo recipiente.

4. Corte los filetes en cuatro piezas de 6 cm. Cubra el pescado con la harina; quite el exceso. Sumerja en el huevo; ruede en las almendras hasta que se cubra.

5. Acomode el pescado en la charola. Hornee de 18 a 20 minutos o hasta que el pescado se dore y empiece a desmenuzarse cuando lo toque con un tenedor. Sirva de inmediato con la salsa.

Rinde 4 porciones

Consejo: En el Paso 2, puede sustituir las almendras enteras con almendras rebanadas. Hornéelas en una charola por separado durante 8 minutos o hasta que se doren un poco; revuelva una vez.

Almejas al Vino

6 cucharadas de margarina derretida
¾ de taza de vino blanco seco
¾ de taza de agua
1½ cucharadas de perejil fresco picado
¼ de cucharadita de salsa picante
1.800 kg de almejas lavadas

Ponga a hervir la margarina, el vino, el agua, el perejil y la salsa en una vaporera. Acomode las almejas en la canastilla de la vaporera. Tape. Cueza al vapor durante 8 minutos o hasta que las almejas se abran. Deseche las que no se abran. Divida las almejas entre 3 o 4 tazones de servicio. Báñelas con la salsa. *Rinde de 3 a 4 porciones*

Camarón al Ajo con Limón

¼ de taza de aceite de oliva
2 cucharadas de mantequilla sin sal
450 g de camarón grande crudo, pelado y desvenado
3 dientes de ajo machacados
2 cucharadas de jugo de limón
½ cucharadita de pimentón
¼ de cucharadita de sal
Pimienta negra
2 cucharadas de perejil fresco finamente picado
Pan de corteza gruesa, en rebanadas

1. Caliente el aceite y la mantequilla en una sartén a fuego medio-alto, hasta que la mantequilla se derrita y la mezcla sisee. Agregue los camarones y el ajo. Cueza de 4 a 5 minutos o hasta que los camarones se opaquen y se tornen rosados.

2. Añada el limón, el pimentón, la sal y la pimienta; cueza por 1 minuto. Retire del fuego. Deseche el ajo. Con una cuchara, pase los camarones y los jugos a un tazón de servicio. Espolvoree con perejil. Sirva con pan.
Rinde 8 porciones

Tomates Rellenos de Cangrejo

16 tomates cherry (de 4 cm de diámetro)
3 cucharadas de mayonesa
½ cucharadita de jugo de limón
1 diente de ajo chico picado
¾ de taza de carne de cangrejo fresca o refrigerada*
3 cucharadas de aceitunas rellenas de pimiento picadas
2 cucharadas de almendras o piñones rebanados
⅛ de cucharadita de pimienta negra

**Para esta receta, elija carne de cangrejo menos costosa; se desmenuza con facilidad y su sabor es como el de las almejas. Búsquela en la sección de mariscos refrigerados en el supermercado. También puede usar cangrejo de lata.*

1. Corte rebanadas chicas de la parte inferior de los tomates para que puedan pararse. Corte la parte superior de los tomates; saque las semillas y la membrana. Voltéelos sobre toallas de papel.

2. Combine la mayonesa, el jugo y el ajo en un recipiente. Agregue el cangrejo, las aceitunas, las almendras y la pimienta; revuelva bien.

3. Rellene los tomates con la mezcla. Sirva de inmediato.

Rinde 8 porciones

Nota: Si no encuentra tomates cherry, sustitúyalos con 4 tomates chicos. Corte los tomates por la mitad; quite las semillas y las membranas. Voltéelos para que se escurran.

Consejo: Para un mejor sabor, no refrigere los tomates rellenos. Puede preparar la mezcla de cangrejo con varias horas de antelación y refrigerarla, tapada. Rellene los tomates justo antes de servir. La mezcla de cangrejo puede servirse con galletas o pan francés tostado.

Vieiras Cubiertas con Almendras

2 cucharadas más 1½ cucharaditas de aceite de oliva
1 diente de ajo machacado
¼ de taza de pan poco molido
2 cucharadas de almendras rebanadas, picadas
1½ cucharaditas de ralladura de cáscara de limón
¼ de cucharadita de sal
Pimienta negra
16 vieiras grandes, cortadas horizontalmente por la mitad (unos 450 g)

1. Caliente 2 cucharadas de aceite en una sartén a fuego bajo. Agregue el ajo; cueza por 2 minutos. Retire del fuego. Deseche el ajo.

2. Combine el pan, las almendras, 1 cucharadita de ralladura de limón y la sal en un platón; sazone con pimienta. Barnice las vieiras con las 1½ cucharaditas restantes de aceite. Presione las vieiras en la mezcla de pan para cubrirlas por completo.

3. Recaliente el aceite a fuego medio-alto. Cueza las vieiras en tandas, de 2 a 3 minutos o hasta que se doren. Voltéelas y cuézalas de 1 a 2 minutos. Espolvoree con la ½ cucharadita restante de ralladura. Sirva de inmediato.

Rinde 4 porciones

Croquetas de Salmón

1 lata (425 g) de salmón rosado, escurrido y desmenuzado
½ taza de papas (patatas) machacadas*
1 huevo batido
3 cucharadas de pimiento morrón rojo picado
2 cucharadas de cebollín, en rebanadas
1 cucharada de perejil fresco picado
½ taza de pan molido sazonado
3 tazas de aceite vegetal

**Use papas recién cocidas, sobrantes o mezcla de papas instantánea.*

1. Combine el salmón, las papas, el huevo, el pimiento, el cebollín y el perejil en un recipiente; revuelva bien.

2. Forme con la mezcla de salmón 10 croquetas de 9 cm de largo y 2.5 cm de ancho. Coloque el pan en un platón. Ruede las croquetas en el pan. Refrigere de 15 a 20 minutos o hasta que estén firmes.

3. Caliente el aceite en una olla a fuego medio-alto hasta que la temperatura alcance los 180 °C en el termómetro para freír.

4. Con una espumadera, coloque las croquetas en el aceite con cuidado, 3 o 4 a la vez. Fría de 2 a 3 minutos o hasta que se doren. Escurra en toallas de papel. Sirva de inmediato.

Rinde unas 5 porciones

Cebiche de Langosta, Camarón y Calamar Asados

¾ de taza de jugo de naranja fresco
⅓ de taza de jugo de limón fresco
2 cucharadas de tequila
2 chiles jalapeños,* sin semillas y picados
2 cucharadas de cilantro fresco picado
1 cucharadita de miel de abeja
1 cucharadita de comino molido
1 cucharadita de aceite de oliva
10 calamares, lavados y cortados en aros y tentáculos
225 g de camarón mediano crudo, pelado y desvenado
2 colas de langosta (de 225 g cada una), con la carne removida de los caparazones

**Los chiles jalapeños pueden irritar la piel; use guantes de hule cuando trabaje con ellos y no se toque los ojos.*

1. Para la marinada, combine los jugos, el tequila, el chile, el cilantro y la miel en un recipiente de vidrio.

2. Mida ¼ de taza de la marinada y viértala en un tazón de vidrio; agregue el comino y el aceite. Reserve. Refrigere el resto de la marinada.

3. Prepare el asador para cocción directa.

4. Ponga a hervir 1 litro de agua en una olla a fuego alto. Agregue el calamar; cueza por 30 segundos o hasta que se opaque. Escúrralo. Enjuague con agua fría; escúrralo. Añada el calamar a la marinada.

5. Ensarte el camarón en brochetas de metal. Barnice el camarón y la langosta con el ¼ de taza de marinada que reservó.

6. Coloque el camarón en la parrilla. Ase, sin tapar, a fuego medio-alto, de 2 a 3 minutos por lado o hasta que se opaque y se torne rosado. Retire el camarón de las brochetas; agregue el calamar. Ponga la langosta en la parrilla. Ase por 5 minutos de cada lado o hasta que la carne se opaque y esté cocida. Rebane la langosta en rebanadas de 0.5 cm; agregue el calamar a la mezcla. Refrigere durante 2 horas por lo menos, o por toda la noche.

Rinde 6 porciones

Tomates Mediterráneos Asados (p. 122)

Croquetas de Arroz con Alcaparras (p. 126)

Pisto de Verduras Asadas (p. 118)

Tacitas de Champiñones Cremosos (p. 132)

Vegetarianos Veloces

Pisto de Verduras Asadas

Aceite de oliva en aerosol
1 calabaza mediana, en trozos de 2.5 cm
2 tomates, sin semillas y partidos a la mitad
1 pimiento morrón rojo, en trozos de 2.5 cm
1 cebolla, en cuartos
4 dientes de ajo pelados
Sal y pimienta negra
1 cucharada de vinagre de jerez o de vino tinto
⅛ de cucharadita de pimienta roja molida
Rebanadas de pan francés o verduras frescas en tiras

1. Caliente el horno a 180 °C. Rocíe ligeramente una charola para hornear con aceite en aerosol. Coloque la calabaza, los tomates, el pimiento, la cebolla y el ajo en la charola. Rocíe las verduras con un poco de aceite; sazone con sal y pimienta. Hornee de 45 a 55 minutos o hasta que las verduras estén suaves y empiecen a dorarse. Deje enfriar por 15 minutos.

2. Coloque las verduras horneadas en el procesador de alimentos; procese hasta uniformar. Agregue el vinagre y la pimienta. Deje reposar por 30 minutos para que se mezclen los sabores. Sirva frío o a temperatura ambiente con el pan o las verduras.

Rinde de 6 a 8 porciones

Omelet Española de Papa

¼ de taza de aceite de oliva
¼ de taza de aceite vegetal
450 g de papas (patatas) blancas o rojas sin pelar, en rebanadas de 0.3 cm
½ cucharadita de sal
1 cebolla chica, cortada por la mitad a lo largo y en rebanadas delgadas a lo ancho
¼ de taza de pimiento morrón verde picado
¼ de taza de pimiento morrón rojo picado
3 huevos

1. Caliente los aceites en una sartén a fuego medio-alto. Agregue las papas; voltéelas varias veces para cubrir las rebanadas con aceite. Sazone con ¼ de cucharadita de sal. Cueza de 6 a 9 minutos o hasta que las papas estén translúcidas; voltéelas de vez en cuando. Añada la cebolla y los pimientos. Reduzca el fuego a medio. Cueza por 10 minutos o hasta que las papas estén suaves; voltéelas de vez en cuando. Escurra la mezcla en un colador sobre un recipiente; guarde el aceite. Deje reposar la mezcla de papas hasta que se enfríe. Bata los huevos con el ¼ de cucharadita restante de sal en un recipiente. Con cuidado, revuelva la mezcla de papa con la de huevo hasta que quede bien cubierta. Deje reposar por 15 minutos.

2. Caliente 2 cucharaditas del aceite que guardó en una sartén antiadherente a fuego medio-alto. Distribuya la mezcla de huevo en una sartén. Cueza hasta que la parte baja y los costados de la mezcla de huevo estén cocidos, pero aún húmedos. Tape la sartén con un plato. Voltee la omelet en el plato; luego, deslícela otra vez a la sartén. Continúe la cocción hasta que se dore la parte baja. Pase la omelet a un plato. Deje reposar por 30 minutos antes de servir. Corte en rebanadas.

Rinde de 6 a 8 porciones

Tomates Mediterráneos Asados

4 tomates medianos o chicos, cortados por la mitad a lo ancho
8 hojas de albahaca fresca
¼ de taza de aceitunas negras sin hueso, finamente picadas
¼ de taza de queso mozzarella rallado
¼ de taza de queso parmesano rallado

1. Caliente el asador. Coloque las mitades de tomate en la parrilla del asador. Corone cada mitad con una hoja de albahaca. Divida las aceitunas y los quesos entre los tomates.

2. Ase por 2 minutos o hasta que el queso se derrita y empiece a dorarse. Deje enfriar un poco antes de servir. *Rinde 4 porciones*

Champiñones Rellenos al Pesto

Tiempo de Preparación y Cocción: 20 minutos

12 champiñones medianos
⅔ de taza de pesto de albahaca preparado
¼ de taza (30 g) de queso parmesano rallado
¼ de taza de pimiento rojo asado picado
3 cucharadas de pan molido sazonado
3 cucharadas de piñones
¼ de taza (30 g) de queso mozzarella rallado

1. Caliente el horno a 200 °C. Retire los tallos de los champiñones; guárdelos para otro uso. Coloque los sombreros de los champiñones hacia arriba, en una charola sin engrasar.

2. Combine el pesto, el queso parmesano, el pimiento, el pan y los piñones en un recipiente; revuelva bien.

3. Rellene los champiñones con la mezcla de pesto. Espolvoree con el queso mozzarella. Hornee de 8 a 10 minutos o hasta que el relleno esté caliente y el queso se derrita. Sirva de inmediato. *Rinde 4 porciones*

Empanadillas

1 cucharada de aceite de oliva
1 diente de ajo picado
1 chalote, en rebanadas delgadas
6 tazas de espinacas baby (unos 180 g)
¼ de taza de piñones
¼ de cucharadita de sal
¼ de cucharadita de hojuelas de pimienta roja
⅛ de cucharadita de pimienta negra
¾ de taza de queso manchego o suizo rallado
285 g de pasta de hojaldre, descongelada
Harina de trigo

1. Caliente el horno a 200 °C. Forre una charola con papel pergamino.

2. Caliente el aceite en una sartén antiadherente de 30 cm a fuego medio-alto. Agregue el ajo y el chalote; cueza por 30 segundos. Añada la espinaca; cueza durante 3 minutos o hasta que la espinaca se marchite. Retire del fuego. Incorpore los piñones, la sal, la pimienta roja y la negra. Deje enfriar por completo.

3. Extienda la masa en una superficie ligeramente enharinada y corte círculos de 10 cm. Ponga 3 cucharadas de la mezcla de espinaca en un lado de cada círculo. Barnice las orillas de los círculos con agua. Doble la masa sobre el relleno. Presione las orillas con un tenedor enharinado para sellar. Acomode las empanadillas en la charola. Hornee por 20 minutos o hasta que la pasta se dore. Retírelas de la charola y páselas a una rejilla. Sírvalas calientes.

Rinde 6 porciones

Croquetas de Arroz con Alcaparras

⅓ de taza de arroz sin cocer
1 frasco (60 g) de pimiento picado, escurrido
1 yema de huevo batida
1 cucharada de alcaparras, escurridas y enjuagadas
⅛ de cucharadita de sal
⅛ de cucharadita de orégano seco
⅛ de cucharadita de pimienta negra
⅔ de taza de pan recién molido
1 cucharada de mantequilla sin sal
1 cucharada de aceite de oliva

1. Para cocer el arroz, deje hervir ⅔ de taza de agua sin sal en una olla. Agregue el arroz; reduzca el fuego a bajo. Hierva, tapado, por unos 14 minutos o hasta que toda el agua se haya absorbido y el arroz esté suave. Pase el arroz a un recipiente; deje que adquiera la temperatura ambiente.

2. Agregue el pimiento, la yema de huevo, las alcaparras, la sal, el orégano y la pimienta; revuelva bien. Ponga el pan en un platón. Con el arroz, forme 18 bolas de 3 cm. Aplánelas un poco; empanícelas con cuidado. Colóquelas en un plato; refrigérelas de 15 a 30 minutos hasta que estén firmes.

3. Caliente la mantequilla y el aceite en una sartén a fuego medio-alto hasta que la mantequilla se derrita. Ponga la mitad de las croquetas en la sartén. Cueza de 2 a 3 minutos o hasta que se doren; voltéelas y cueza de 1 a 2 minutos más o hasta que se doren. Retírelas de la sartén y manténgalas calientes. Repita esto con las demás croquetas; agregue mantequilla si es necesario. Sírvalas calientes. *Rinde 6 porciones*

Papas Asadas con Salsa Alioli de Limón

Tiempo de Preparación: 10 minutos • **Tiempo de Cocción:** 20 minutos

4 papas (patatas) russet medianas
½ cucharadita de sal
⅓ de taza de mantequilla o margarina derretida
3 cucharadas de mostaza Dijon con miel
3 cucharadas de salsa inglesa
Salsa Alioli de Limón (receta más adelante)

1. Corte las papas a lo largo en rebanadas de 1.5 cm. Ponga las papas, 1 taza de agua y la sal en un recipiente para microondas poco profundo. Tape y hornee a temperatura ALTA (100%) por 10 minutos o hasta que las papas estén crujientes y suaves; revuelva a la mitad del tiempo de cocción. (Si es necesario, cueza las papas en dos tandas.) Escúrralas.

2. Combine la mantequilla, la mostaza y la salsa inglesa en un recipiente. Barnice las papas. Coloque las papas en la parrilla engrasada. Ase a fuego medio-alto de 8 a 10 minutos o hasta que las papas estén suaves al picarlas con un tenedor; voltéelas y barnícelas con frecuencia con la mezcla de mantequilla. Sírvalas con la Salsa Alioli de Limón.

Rinde 4 porciones

Salsa Alioli de Limón

Tiempo de Enfriado: 1 hora

½ taza de mayonesa regular o baja en grasa
3 cucharadas de mostaza Dijon con miel
1 cucharada de jugo de limón
½ cucharadita de ralladura de cáscara de limón
1 diente de ajo picado

Combine la mayonesa, la mostaza, el jugo, la ralladura de limón y el ajo en un tazón. Tape y enfríe en el refrigerador por 1 hora.

Rinde unos ¾ de taza de salsa

Zanahorias Marinadas con Comino

¾ de taza de vinagre de vino blanco o tinto
½ taza de cebollines, en rebanadas delgadas
2 cucharadas de agua
2 cucharadas de aceite de oliva
2 cucharaditas de azúcar
1 diente de ajo picado
½ cucharadita de comino molido
½ cucharadita de pimentón ahumado o pimentón
5 o 6 zanahorias medianas,* peladas y en rebanadas de 0.5 cm

**Puede sustituir las zanahorias rebanadas con 360 g de zanahorias baby enteras. Cuézalas al vapor por 5 minutos.*

1. Combine el vinagre, el cebollín, el agua, el aceite, el azúcar, el ajo, el comino y el pimentón en un recipiente.

2. Ponga las zanahorias en la canastilla de la vaporera en una olla mediana con 2.5 cm de agua. Cuézalas al vapor, tapadas, por 3 minutos. De inmediato, transfiéralas a la mezcla de vinagre; revuelva con cuidado. Páselas a un tazón.

3. Tape y refrigere durante 2 horas o hasta por 2 días. Sírvalas con palillos.

Rinde 8 porciones

Tortitas de Garbanzo

1 lata (de unos 435 g) de garbanzos, enjuagados y escurridos
1 taza de zanahorias ralladas
⅓ de taza de pan molido sazonado
¼ de taza de aderezo italiano para ensalada
1 huevo
Aderezo italiano para ensalada adicional

1. Caliente el horno a 190 °C. Rocíe charolas para hornear con aceite en aerosol.

2. Machaque un poco los garbanzos en un recipiente, con un machacador de papas. Revuélvalos con las zanahorias, el pan, ¼ de taza de aderezo y el huevo; mezcle bien.

3. Forme con la mezcla 24 tortitas; use más o menos 1 cucharada de la mezcla para cada una. Colóquelas en las charolas.

4. Hornee de 15 a 18 minutos o hasta que las tortitas se doren un poco por ambos lados; voltéelas a la mitad del tiempo de horneado. Sírvalas calientes con el aderezo adicional. *Rinde de 4 a 5 porciones*

Tacitas de Champiñones Cremosos

2 cucharadas de mantequilla
120 g de champiñones poco picados
¼ de cucharadita de sal
2 dientes de ajo picados
2 cucharadas de jerez seco
¼ de taza de crema batida
15 hojas de pasta filo chicas, descongeladas y calientes
¼ de taza de perejil fresco picado

1. Derrita la mantequilla en una sartén antiadherente a fuego medio. Agregue los champiñones y la sal; cueza por 3 minutos o hasta que estén listos. Añada el ajo; cueza por 15 segundos.

2. Vierta el jerez y mezcle bien. Revuelva hasta que se forme una crema; cueza por 1½ minutos o hasta que se espese.

3. Rellene las hojas de pasta con cantidades iguales de la mezcla de champiñones. Espolvoree con el perejil; sirva de inmediato.

Rinde 5 porciones

Fáciles Entremeses de Espinaca

2 cucharadas de mantequilla
3 huevos
1 taza de harina de trigo
1 taza de leche
1 cucharadita de polvo para hornear
1 cucharadita de sal
2 bolsas (de 285 g cada una) de espinaca picada, descongelada y bien escurrida
4 tazas (450 g) de queso Monterrey Jack rallado
½ taza de pimiento rojo picado

1. Caliente el horno a 180 °C. Derrita la mantequilla en un molde para hornear de 33×23 cm.

2. Bata los huevos en un recipiente. Agregue la harina, la leche, el polvo para hornear y la sal; bata muy bien. Añada la espinaca, el queso y el pimiento; revuelva bien. Distribuya la mezcla en el molde.

3. Hornee de 40 a 45 minutos o hasta que esté listo. Deje reposar por 10 minutos. Para servir, corte en 24 triángulos o cuadros.

Rinde 8 porciones

Consejo: Estos deliciosos entremeses pueden prepararse con antelación, congelarse y recalentarse. Después de hornearlos, déjelos enfriar por completo y córtelos en cuadros. Pase los cuadros a una charola para hornear; colóquelos en el congelador hasta que se congelen. Ponga los cuadros en una bolsa de plástico. Para servir, recaliente los cuadros en el horno a 160 °C por 15 minutos.

Alcachofas Asadas Ahumadas

2 alcachofas (de 225 g cada una)
¼ de taza de chalotes picados
¼ de taza de piñones
3 cucharadas de tocino (beicon) picado
⅓ de taza de aceitunas, en rebanadas
1 cucharada de perejil fresco picado
½ cucharadita de tomillo fresco picado
2 cucharaditas de aceite de oliva
½ cucharadita de consomé de pollo con poca sal
1 cucharada de jugo de limón
1 cucharadita de mostaza Dijon
¼ de cucharadita de sal
Pizca de pimienta negra poco molida

1. Retire los tallos y las hojas externas de las alcachofas. Corte en cuartos y retire el centro velludo. Coloque las alcachofas en la canastilla de la vaporera, y ésta, en una olla con agua; ponga a hervir. Cueza al vapor durante 15 minutos. Retire las alcachofas de la canastilla y escúrralas.

2. Caliente una sartén a fuego medio. Agregue los chalotes, los piñones y el tocino; cueza de 2 a 3 minutos hasta que el tocino esté crujiente y los piñones se doren. Con una espumadera, pase la mezcla de tocino a un tazón; deseche la grasa de la sartén. Agregue las aceitunas, el perejil y el tomillo.

3. Caliente el aceite de oliva en otra sartén a fuego medio. Añada las alcachofas; cueza de 3 a 4 minutos hasta que se doren. Incorpore el consomé, el jugo y la mostaza. Espolvoree con el tocino; sazone con sal y pimienta. Caliente y sirva. *Rinde 4 porciones*

Papas Españolas con Mayonesa al Ajo

900 g de papas (patatas) rojas, en trozos de 2.5 cm
2 cucharadas de aceite de oliva
1 cucharadita de sal de grano o kosher
¾ de cucharadita de hojuelas de pimienta roja
1 cucharadita de pimentón
1 taza de mayonesa
2 dientes de ajo picados

1. Caliente el horno a 220 °C.

2. Combine las papas, el aceite y la sal en un recipiente; revuelva. Distribuya la mezcla en una charola para hornear. Ase por 15 minutos. Voltee las papas; espolvoree con pimienta. Ase de 15 a 20 minutos más o hasta que las papas estén crujientes y doradas. Espolvoree con pimentón.

3. Mientras tanto, revuelva la mayonesa y el ajo en un tazón; mezcle bien. Sirva como dip con las papas.

Rinde de 10 a 12 porciones

*Consejo

La mayonesa al ajo está disponible en algunos supermercados. Úsela en lugar de prepararla. También es muy buena con sándwiches y en dips.

Tapas de Pimientos Marinados Asados

1 pimiento morrón rojo grande
1 pimiento morrón amarillo grande
3 cucharadas de aceite de oliva
1 cucharada de vinagre de jerez o de vino blanco
1 cucharada de alcaparras, enjuagadas y escurridas
1 cucharadita de azúcar
1 diente de ajo, en rebanadas
½ cucharadita de comino
1 hogaza de pan francés

1. Cubra el asador con papel de aluminio. Caliente el asador. Coloque los pimientos sobre el aluminio. Áselos a 10 cm de la fuente de calor, de 15 a 20 minutos o hasta que se ennegrezcan por todos lados; voltéelos con pinzas y áselos durante 5 minutos. Ponga los pimientos en una bolsa de papel por 20 minutos.

2. Coloque el aceite, el vinagre, las alcaparras, el azúcar, el ajo y el comino en un tazón. Revuelva bien.

3. Retire la piel, los corazones y las semillas de los pimientos; corte en cuadros de 2.5 cm. Ponga los pimientos en una bolsa de plástico. Vierta en ella la mezcla de aceite. Tape y refrigere durante 2 horas por lo menos, o por toda la noche; voltee la bolsa de vez en cuando. Deje que estén a temperatura ambiente antes de servir.

4. Rebane el pan; tuéstelo. Acomode los pimientos en las rebanadas.

Rinde de 4 a 6 porciones de entremés

Croquetas de Queso Manchego

¼ de taza (½ barra) de mantequilla o margarina
1 cucharada de chalotes o cebolla picados
½ taza de harina de trigo
¾ de taza de leche
½ taza de queso manchego o parmesano rallado
¼ de cucharadita de sal
¼ de cucharadita de pimentón ahumado o pimentón
⅛ de cucharadita de nuez moscada molida
1 huevo
½ taza de pan molido
Aceite vegetal

1. Derrita la mantequilla en una sartén a fuego medio. Agregue los chalotes; cueza por 2 minutos. Añada la harina; cueza durante 2 minutos. Poco a poco, vierta la leche; cueza hasta que la mezcla comience a hervir. Retire del fuego. Incorpore ¼ de taza de queso, la sal, el pimentón y la nuez moscada.

2. Pase la mezcla a un tazón con una cuchara; tape y refrigere durante varias horas o hasta por 24 horas.

3. Con las manos un poco enharinadas, forme con la masa bolitas de 2.5 cm.

4. Bata los huevos en un recipiente. Combine el pan y el ¼ de taza restante de queso en otro recipiente poco profundo. Sumerja cada bola en el huevo y luego ruédela en el pan.

5. Caliente ¼ de taza de aceite en una sartén a fuego medio-alto. Cueza las croquetas en tandas hasta que se doren por todos lados; agregue aceite si es necesario. Sírvalas calientes con palillos. *Rinde 6 porciones*

Nota: Las croquetas cocidas puede mantenerse calientes en el horno a 92 °C hasta por 30 minutos antes de servir.

Tortilla de Alcachofa

1 lata (400 g) de corazones de alcachofa, escurridos
3 cucharaditas de aceite de oliva extra virgen
½ taza de cebollín picado
5 huevos
½ taza (60 g) de queso suizo rallado
2 cucharadas de queso parmesano rallado
1 cucharada de perejil fresco picado
1 cucharadita de sal
¼ de cucharadita de pimienta negra

1. Pique las alcachofas.

2. Caliente 2 cucharaditas de aceite en una sartén a fuego medio. Agregue el cebollín; cueza hasta que se suavice. Retire de la sartén.

3. Bata los huevos en un recipiente. Agregue las alcachofas, el cebollín, los quesos, el perejil, la sal y la pimienta.

4. Caliente 1 cucharadita de aceite en la misma sartén a fuego medio. Vierta el huevo en la sartén. Cueza de 4 a 5 minutos o hasta que la parte inferior se dore un poco. Ponga un plato sobre la sartén; voltee la tortilla en el plato. Regrese la tortilla a la sartén, con el lado sin cocer hacia abajo. Cueza por unos 4 minutos o hasta que esté lista. Corte en rebanadas para servir.

Rinde de 12 a 16 porciones

Tomates Rellenos con Ensalada de Papas al Ajo

450 g de papas (patatas), peladas y en cubos de 0.5 cm
3 cucharadas de vinagre de vino rojo o blanco
½ taza de mayonesa
2 cucharadas de perejil fresco picado
2 dientes de ajo picados
1 cucharadita de sal
⅛ de cucharadita de pimienta blanca molida
12 tomates cherry (de 2.5 cm de diámetro) *o* 6 tomates chicos
Pimentón (opcional)
Perejil fresco picado adicional (opcional)

1. Para la ensalada de papa, coloque las papas en una olla; cúbralas con agua fría. Deje hervir a fuego medio-alto. Reduzca el fuego y hierva por 6 minutos o hasta que las papas estén suaves. Escurra y pase a un tazón. Bañe con 2 cucharadas de vinagre; revuelva bien. Enfríe un poco.

2. Con cuidado, revuelva la mayonesa, 2 cucharadas de perejil, el ajo, la sal y la pimienta. Tape y refrigere por unas 2 horas o hasta que se enfríe.

3. Corte una rebanada chica de la parte inferior de los tomates* para que puedan pararse. Corte la parte superior de los tomates; retire y deseche la pulpa. Bañe los tomates con la cucharada restante de vinagre.

4. Rellene cada tomate con 2 a 3 cucharadas de la ensalada de papa. Acomode los tomates en un platón; adorne con pimentón y perejil adicional. Sirva de inmediato.

Rinde 6 porciones

**Cuando use tomates regulares, corte una rebanada chica de la parte inferior y superior de cada uno, y luego córtelos por la mitad. Retire la pulpa.*

Tostadas Californianas

1 taza de aceitunas rebanadas
½ taza de corazones de alcachofa envasados en agua, escurridos y picados
⅓ de taza de albahaca fresca picada
3 cucharadas de aceite de oliva extra virgen
1 cucharada de alcaparras, escurridas
1 cucharadita de ralladura de cáscara de naranja
18 rebanadas de pan francés (en diagonal, de 1.5 cm de grosor)
2 cucharadas de queso de cabra desmoronado

1. Guarde 2 cucharadas de aceitunas en un tazón, para adornar.

2. Combine el resto de las aceitunas con las alcachofas, ¼ de taza de albahaca, el aceite, las alcaparras y la ralladura en el tazón del procesador de alimentos. Procese hasta que se piquen finamente.

3. Ase las rebanadas de pan a fuego medio-bajo de 2 a 3 minutos o hasta que se doren un poco de cada lado.

4. Retire los panes del asador y úntelos con la mezcla de aceitunas. Corone con queso y regrese al asador (con el queso hacia arriba). Tape y cueza de 1 a 2 minutos más hasta que el queso se derrita y la parte inferior del pan esté tostada.

5. Pase a un platón, y adorne con las aceitunas restantes y la albahaca.

Rinde 6 porciones

Dip de Berenjena Asada

2 berenjenas (de unos 450 g cada una)
¼ de taza de jugo de limón
3 cucharadas de tahini de ajonjolí*
4 dientes de ajo picados
2 cucharaditas de salsa picante
½ cucharadita de sal
1 cucharada de perejil fresco picado (opcional)
Pimentón (opcional)
Rebanadas de chile rojo (opcional)**
4 pitas (pan árabe), en rebanadas

**La salsa tahini está disponible en las tiendas de productos orientales.*

***Los chiles pueden irritar la piel; use guantes de hule cuando los maneje y no se talle los ojos.*

1. Prepare el asador para cocción directa. Pique las berenjenas varias veces con un tenedor. Póngalas en el asador. Áselas, tapadas, a fuego medio-alto, de 30 a 40 minutos o hasta que la piel esté negra y se desprenda, y la pulpa esté suave; voltéelas con frecuencia. Pele las berenjenas cuando estén lo suficientemente frías para manejarlas. Deje enfriar a temperatura ambiente.

2. Coloque la pulpa de las berenjenas en el procesador de alimentos con el jugo, la tahini, el ajo, la salsa y la sal; procese hasta incorporar. Refrigere durante 1 hora por lo menos antes de servir para que se mezclen los sabores. Adorne con perejil, pimentón y rebanadas de pimiento. Sirva con las pitas.

Rinde 8 porciones

Espárragos y Pimientos Asados

½ taza de vinagre balsámico
¼ de taza de aceite de oliva
1 cucharada de cebolla picada
1 diente de ajo picado
½ cucharadita de albahaca seca
½ cucharadita de tomillo seco
½ cucharadita de sazonador de lemon pepper
¼ de cucharadita de sal
450 g de espárragos delgados, sin tallos
1 pimiento morrón rojo grande, en tiras de 1.5 cm
1 pimiento morrón amarillo grande, en tiras de 1.5 cm

1. Combine el vinagre, el aceite, la cebolla, el ajo, la albahaca, el tomillo, el lemon pepper y la sal en un recipiente. Ponga la mezcla de vinagre, los espárragos y los pimientos en una bolsa de plástico. Séllela y voltéela para bañar las verduras. Marine por 30 minutos; voltee la bolsa después de 15 minutos.

2. Prepare el asador para cocción directa.

3. Escurra los espárragos y los pimientos; guarde la marinada. Ase a fuego medio-alto de 8 a 10 minutos o hasta que estén suaves; voltéelos a la mitad del tiempo de asado y barnícelos con frecuencia con la marinada. Sírvalos calientes o a temperatura ambiente. *Rinde de 5 a 6 porciones*

Crostini de Alubias

2 latas (de 435 g cada una) de alubias, enjuagadas y escurridas
½ pimiento morrón rojo grande, finamente picado, *o* ⅓ de taza de pimiento morrón rojo asado, finamente picado
⅓ de taza de cebolla finamente picada
⅓ de taza de vinagre de vino tinto
3 cucharadas de perejil fresco picado
1 cucharada de aceite de oliva
2 dientes de ajo picados
½ cucharadita de orégano seco
¼ de cucharadita de pimienta negra
18 rebanadas de pan francés, de 0.5 cm de grosor

1. Combine las alubias, el pimiento y la cebolla en un tazón.

2. Revuelva el vinagre, el perejil, el aceite, el ajo, el orégano y la pimienta en un recipiente. Vierta sobre las alubias; mezcle bien. Tape y refrigere durante 2 horas o por toda la noche.

3. Acomode el pan en una capa, en una charola sin engrasar o en el asador. Ase de 9 a 12 cm de la fuente de calor, de 30 a 45 segundos o hasta que el pan se dore un poco. Deje enfriar por completo.

4. Corone cada rebanada con unas 3 cucharadas de la mezcla de alubias.

Rinde 6 porciones

Espirales de Espinaca con Ajo Asado

1 cabeza de ajo entera
3 tazas de hojas de espinaca
1 lata (unos 435 g) de alubias, enjuagadas y escurridas
1 cucharadita de orégano seco
¼ de cucharadita de pimienta negra
⅛ de cucharadita de pimienta roja molida
7 tortillas de harina (de 18 cm)

1. Caliente el horno a 200 °C. Corte la parte superior del ajo; deséchela. Humedezca la cabeza del ajo con agua; envuélvala con papel de aluminio. Hornee por 45 minutos o hasta que el ajo se suavice; deje enfriar.

2. Mientras tanto, apile las hojas de espinaca y píquelas finamente. Colóquelas en un tazón.

3. Retire la piel del ajo y póngalo en el procesador de alimentos. Añada las alubias, el orégano, la pimienta y el pimiento. Procese hasta que se incorporen. Añada la espinaca; revuelva bien. Unte la mezcla en las tortillas; enrolle en forma de taco. Tape y refrigere de 1 a 2 horas.

4. Corte 0.5 cm de los extremos de los rollos; deséchelos. Corte los rollos en rebanadas de 2.5 cm. Páselas a un platón; adorne, si lo desea.

Rinde 10 porciones

Tapas Españolas de Papa (Papas Bravas)

1.125 kg de papas (patatas) rojas chicas, en cuartos
⅓ de taza más 2 cucharadas de aceite de oliva
1 cucharadita de sal gruesa o kosher
½ cucharadita de romero seco
1 lata (de unos 400 g) de tomates picados
2 cucharadas de vinagre de vino tinto
1 cucharada de ajo picado
1 cucharada de chile en polvo
1 cucharada de pimentón
¼ de cucharadita de sal
¼ de cucharadita de chipotle molido
⅛ a ¼ de cucharadita de pimienta roja molida

1. Caliente el horno a 220 °C.

2. Para las papas, combine las papas, 2 cucharadas de aceite, 1 cucharadita de sal y el romero en un tazón; revuelva bien. Distribuya la mezcla en un refractario poco profundo. Ase las papas de 35 a 40 minutos o hasta que estén crujientes y doradas; voltéelas cada 10 minutos.

3. Para la salsa, combine los tomates, ⅓ de taza de aceite, el vinagre, el ajo, el chile, el pimentón, ¼ de cucharadita de sal, el chipotle y la pimienta en el procesador de alimentos. Procese hasta que se incorporen. Pase a una olla. Tape y cueza por 5 minutos a fuego medio-alto hasta que se espese un poco. Deje enfriar.

4. Para servir, vierta la salsa sobre las papas y, por separado, sirva salsa en un tazón como dip. *Rinde de 10 a 12 porciones*

Nota: La salsa puede prepararse con 24 horas de antelación. Tápela y refrigérela. Deje que esté a temperatura ambiente o recaliéntela antes de servir.

MEDIDAS DE CAPACIDAD (seco)

⅛ de cucharadita = 0.5 ml
¼ de cucharadita = 1 ml
½ cucharadita = 2 ml
¾ de cucharadita = 4 ml
1 cucharadita = 5 ml
1 cucharada = 15 ml
2 cucharadas = 30 ml
¼ de taza = 60 ml
⅓ de taza = 75 ml
½ taza = 125 ml
⅔ de taza = 150 ml
¾ de taza = 175 ml
1 taza = 250 ml
2 tazas = 1 pinta (pint) = 500 ml
3 tazas = 750 ml
4 tazas = 1 litro (1 quart)

MEDIDAS DE CAPACIDAD (líquido)

30 ml = 2 cucharadas = 1 fl. oz
125 ml = ½ taza = 4 fl. oz
250 ml = 1 taza = 8 fl. oz
375 ml = 1½ tazas = 12 fl. oz
500 ml = 2 tazas = 16 fl. oz

PESO (masa)

15 g = ½ onza (oz)
30 g = 1 onza (oz)
90 g = 3 onzas (oz)
120 g = 4 onzas (in)
225 g = 8 onzas (in)
285 g = 10 onzas (in)
360 g = 12 onzas (in)
450 g = 16 onzas (in)

115 g = ¼ de libra (lb)
150 g = ⅓ de libra (lb)
225 g = ½ libra (lb)
340 g = ¾ de libra (lb)
450 g = 1 libra = 1 pound
565 g = 1¼ libras (lb)
675 g = 1½ libras (lb)
800 g = 1¾ libras (lb)
900 g = 2 libras (lb)
1.125 kg = 2½ libras (lb)
1.240 kg = 2¾ libras (lb)
1.350 kg = 3 libras (lb)
1.500 kg = 3½ libras (lb)
1.700 kg = 3¾ libras (lb)
1.800 kg = 4 libras (lb)
2.250 kg = 5 libras (lb)
2.700 kg = 6 libras (lb)
3.600 kg = 8 libras (lb)

TEMPERATURA DEL HORNO

48 °C = 120 °F
54 °C = 130 °F
60 °C = 140 °F
65 °C = 150 °F
70 °C = 160 °F
76 °C = 170 °F
81 °C = 180 °F
92 °C = 200 °F
120 °C = 250 °F
140 °C = 275 °F
150 °C = 300 °F
160 °C = 325 °F
180 °C = 350 °F
190 °C = 375 °F
200 °C = 400 °F
220 °C = 425 °F
230 °C = 450 °F
240 °C = 500 °F

LONGITUD

0.2 cm = 1/16 de pulgada (in)
0.3 cm = ⅛ de pulgada (in)
0.5 cm = ¼ de pulgada (in)
1.5 cm = ½ pulgada (in)
2.0 cm = ¾ de pulgada (in)
2.5 cm = 1 pulgada (in)

MEDIDAS DE RECIPIENTES PARA HORNEAR

Molde	Medidas en cm	Medidas en pulgadas/ cuartos (quarts)	Capacidad
Para torta (cuadrada o rectangular)	20×20×5	8×8×2	2 litros
	23×23×5	9×9×2	2.5 litros
	30×20×5	12×8×2	3 litros
	33×23×5	13×9×2	3.5 litros
Para barra	20×10×7	8×4×3	1.5 litros
	23×13×7	9×5×3	2 litros
Para torta redonda	20×4	8×1½	1.2 litros
	23×4	9×1½	1.5 litros
Para pay	20×3	8×1¼	750 ml
	23×3	9×1¼	1 litro
Cacerola para hornear	——	1 cuarto (quart)	1 litro
	——	1½ cuartos	1.5 litros
	——	2 cuartos	2 litros